新編五專國文

第五冊

何進盛　林敬文　范淑芬　徐琬章
劉菁菁　蘇義穠　林文鎮　李　春
編著

文史哲出版社印行

國家圖書館出版品預行編目資料

新編五專國文/ 何進盛等編著. -- 初版. -- 臺北市：文史哲, 民 96.09
冊: 公分. --
ISBN 978-957-549-735-4（第1冊：平裝）.--
ISBN 978-957-549-736-1（第 3 冊：平裝）.--
ISBN 978-957-549-765-1（第 2 冊：平裝）.--
ISBN 978-957-549-766-8（第 4 冊：平裝）.--
ISBN 978-957-549-802-3（第 5 冊：平裝）

1.國文科 2.讀本

836 96016760

新編五專國文 第五冊

編著者：何進盛 林敬文 范淑芬 徐琬章
劉菁菁 蘇義穠 林文鎮 李 春

出版者：文史哲出版社
http://www.lapen.com.tw
e-mail hinet.net
登記證字號：行政院新聞局版臺業字五三三七號
發行人：彭正雄
發行所：文史哲出版社
印刷者：文史哲出版社
臺北市羅斯福路一段七十二巷四號
郵政劃撥帳號：一六一八〇一七五
電話886-2-23511028・傳真886-2-23965656

定價新臺幣三〇〇元

中華民國九十七年（2008）八月初版

ISBN 978-957-549-802-3

新編五專國文 第五冊 目次

編輯說明

一、本教材是根據教育部頒布九五學年實施之五年制專科學校課程綱要編寫而成，共分六冊，供五專二、三年級使用。

二、本教材有四大目標：其一、培養閱讀、寫作、鑑賞、批評之能力。其二、了解我國文學的理論、源流、類別，以及各個時代，各項文體的主要觀點、作家、作品。其三、訓練歸納、演繹、推論、判斷等思考方法。其四、確立適切的思想觀念、國家意識，體認民主精神、文化本質。

三、本教材之選文，兼顧到作品的體裁及內容，也留意到各個時代、各個流派的代表作家、作品；希望能做到「縱」的銜接—史的連貫，與「橫」的聯繫—類的擴充。除了創作作品外，還選了有關文學評論的文章。而為了增加教學的彈性，每一冊的文章篇數，也比實際能講授的多了一些，可供同學自行參閱。

四、本教材之編排，分文言文、文化教材（論孟學庸）、詩詞曲、白話文、應用文五部分，分別依其特性，做系統的編排。

1文言文：以教育部公布的四十篇核心文言文爲主，依難易分編於各冊。六冊分成三個循環（一、二冊一個循環，三、四冊一個循環，五、六冊一個循環），每個循環依「從古至今」之序選文；一個循環比一個循環更加深內容。篇名標有◎符號者，爲部頒「後期中等教育共同核心課程『國文』課程指引」之「十五篇文言文」參考選文。

2文化教材：第一、二冊選讀論語，每冊兩課，共四課，分別是有關「仁、忠、恕」、「孝、弟、義」、「禮、正名」、「宗教、天命」的篇章。第三、四冊選讀孟子，同樣每冊兩課，共四課，分別是有關「善性」、「義利、養氣」「性、命」「王道、仁政、民本」的篇章。第五冊選讀大學、中庸。

3詩詞曲：第一冊選絕句，第二冊選律詩，第三冊選詩經，第四冊選古體詩、樂府詩，第五冊選唐宋詞、第六冊選元代散曲。

4白話文：分理論、新詩、小說、散文四大類，含元明清古典小說、民國以來散文、小說，日據時代臺灣先賢散文、小說，現代作家散文、小說，及現代詩選等。

5應用文：第一冊爲「書信、便條、名片」，第二冊爲「柬帖、會議文書、傳真」，第三冊爲「契約、規章」，第四冊爲「履歷、自傳」，第五冊爲「一般公文」，第六冊爲「存證信函、啓事、廣告」。

五、本教材單篇體例，依教學之需要，分別有作者、題解、注釋、結構、欣賞、討論等項，除了敘述時講求簡要，使用語體文，不做考證之外，尚有幾點跟一般的教材不同：

1作者：生平介紹採年表式，以方便參閱。

2注釋：直接解說含意，非必要，不稱引典故或前人注文。

3結構：依文章性質，有的注重全篇綱目的整理，有的只做精華歸納，不是說說各段大意而已。

4欣賞：直接說出其蘊含或技巧所以高妙之處，而避用玄虛的形容語彙。

5討論：這是教材最特殊的部分，注重整體性的研思，透過「討論」，前述的編輯目標才可以落實，「國文課」也才不至於落入韓愈所謂「小學而大遺」。

六、依部頒課程綱要「國文五」：授課學分數爲3（語體：40％　文言：60％）。教學內容應包含：範文（記敘文3篇　抒情文2篇　論說文5篇）、文化教材、應用文、作文四部分。

七、本教材從策劃、訂體例、選文、編寫，一直到校稿完成，我們都竭盡心力，小心翼翼地在進行，唯才智有限，疏漏難免，還請高明之士多所指正，使本教材更精良，使國文教學更完美。

民國九十七年八月編者謹誌

一　大學經一章

【作者】

「大學」的作者，大致可分爲三種主要的說法：一爲不知作者是誰，二爲子思，三則爲曾子。

「大學」原來只是禮記中的一篇，並沒有受到特殊的重視，直到宋代司馬光著中庸大學廣義一卷，才開始獨立出來。河南二程子兄弟繼起，認爲大學乃是孔子遺書，初學入德之本，更加表彰。後來朱熹就把「大學」和「中庸」，與「論語」和「孟子」合成「四子書」。除了對大學和中庸兩篇作了注釋以外，對於原文的章句，他作一番畫分，「大學」才有了獨立的地位。後來四書通行，「大學」之地位亦隨之日益提高。

大學分經、傳二部分，經是綱要，只有一章，傳爲詳細內容，計十章。在這經、傳簡短扼要的十一篇中，闡述了儒家由修身齊家以至於治國平天下的修爲方法，由內聖而達於外王的終極理想，體系完整、內容博大精深。

【題解】

「大學」，鄭玄認爲是博大之學，可以爲政，也就是從政的博大學問；朱子則認爲是大人之學，是古代最高學府──太學──作育英才的宗旨及教材內容。其實兩種說法並不衝突，一個說的是它的內容，一個說的是它的使用場所，兩者可合起來看。

此章爲大學全書之骨幹，朱熹尊之爲「經」，以「明德」「親民」「止於至善」爲「三綱領」，以「格物」「致知」「誠意」「正心」「修身」「齊家」「治國」「平天下」爲「八條目」，發揮了儒家「內聖外王」的思想。

【本文】

大學之道：在明明德(1)，在親民(2)，在止於至善(3)。知止而后有定(4)，定而后能靜(5)，靜而后能安(6)，安而后能慮(7)，慮而后能得(8)。物有本末，事有終始，知所先後，則近道矣(9)。

古之欲明明德於天下者，先治其國(10)；欲治其國者，先齊其家(11)；欲齊其家者，先修其身(12)；欲修其身者，先正其心(13)；欲正其心者，先誠其意(14)；欲誠其意者，先致其知(15)；致知在格物(16)。物格而后知至，知至而后意誠，意誠而后心正，心正而后身修，身修而后家齊，家齊而后國治，國治而后天下平(17)。

自天子以至於庶人，壹(18)是皆以修身爲本，其本亂而末治者否矣(19)；其所厚者薄，而其所薄者厚，未之有也⒇。

【注釋】

⑴明明德—發揮個人崇高的德養。（不只是獨善其身而已）上一個「明」字是動詞，發揮的意思；下一個「明」字是形容詞，光明高潔的意思。很多人都把「明德」說是天生就具有的，如果是這樣，那下文爲何還談「修其身」呢，或許人天生具有德性根源，但若沒有後天的修養，仍是不能成德的。

⑵親民—親民有兩種說法：①王陽明解釋爲親愛民衆②程頤認爲在「大學」的「傳」文中，只說明「新民」，而無一語道及「親民」，所以「親」當作「新」，「親」是傳鈔的錯誤。「新」是革新、更新的意思。第二個說法較合文意。新民就是使老百姓能日新又新，進步不已。

⑶止於至善—止，達到。「至善」是最完善的境界。大學之道以「明明德」爲工夫，以「新民」爲方向，以「止於至善」爲最高目標；「明明德」、「新民」做到至善的境地，天下必能太平。

⑷知止而后有定—止，目標。后，古「後」字。定，方向。

⑸靜—靜，平靜不浮盪。

⑹安—安，穩定不猶疑。

⑺慮—縝密去思慮。

⑻得—達成目標。

⑼物有本末……則近道矣—物即事。任何事物都有本末先後，能夠洞察事物的輕重先後，那麼即使不一定能達到大學之道，但至少也離道不遠了。

(10)古之欲……先治其國—天下，指全中國，和今日所謂天下不同。國，指諸侯的封地。這句話是說：古代想要發揮「明德」去平治天下，一定先治好邦國。
(11)齊其家—齊，齊一。家，大夫的封地。
(12)修其身—修好「明德」。
(13)正其心—心是行爲的主宰，心正而後身修。正，動詞，端正，謂使其合於道理。
(14)誠其意—誠，動詞，使其眞誠無欺。意，意念。「心」是「意識」，「意」是「潛意識」。
(15)先致其知—致，推極、啓發。知，同「智」。
(16)格物—格，至。物，事物。格物，接近事物，探求其道理。
(17)物格……而后天下平—八條目是「明明德」之程序，至「修身」止五項是成德的工夫，「齊家」以後三項是「親民」的工夫。
(18)壹—都、全。
(19)其本亂而末治者否矣—本指修身，末指齊家治國平天下。否，不，沒有。
(20)其所厚……未之有也—其所厚者薄，所應該重視的沒有擁有，指不注意修身。其所薄者厚，不重要的反而擁有了，指做到齊家治國平天下。未之有即「未有之」。

【討論】

一、「格物」如何能「致知」？「致知」如何能「誠意」？
二、說明三綱領之關連，並把它與八條目配合起來？

二　中庸選

【作者】

中庸本是禮記中的一篇，漢書藝文志六藝略有中庸說，隋書經籍志有梁武帝中庸講義，可知中庸早就有單行本。到了宋儒—二程子和朱子特別加以提倡，才為世人特別重視。

朱熹把中庸和大學從禮記中取出，與論語、孟子合而為四書。他對大學和中庸兩篇文字，除了注釋外，對於原文的章句也作了一番畫分；所以四書集註裏，大學、中庸稱「章句」，論語、孟子稱「集註」。朱子按照內容的性質，把中庸分為三十三章，每章內容皆加以扼要的說明，使全書系統分明。

中庸一書的作者，向來說是孔子孫子思（名伋），但是到了清朝，卻有人發生懷疑，提出異議，到底如何，很難下結論，但中庸成書不當晚於漢初，這一點是沒有問題的。

孔伋，字子思，孔子之孫，伯魚之子，原籍宋國，高祖時代遷居魯國，生於周敬王四十年（西元前四八〇年）。當他出生時，父親去世，一歲時，祖父也去世。他曾受業於曾子。婚後生一子，名白，字子上。周威烈王八年（西元前四一八年），子思去世，享年六十二歲。

【題解】

中庸二字的意義，說法很多，大多數都採取程頤的說法，以不偏為中，不易為庸。庸指常道，是恒久不易，是人人必須遵行的，這在中庸一文中找得到依據，把「中」解釋成不偏不倚，卻有很多地方講不通。其實「中」即「天命之性」，就其未發而存於內而言叫「中」，如果就其已發而言便稱爲「和」，即爲「率性之道」。（參考注⑽⑾。）

本課選了中庸的三部分。第一部分是中庸首章爲全書的基礎，說明了「天命之謂性」「率性之謂道」「修道之謂教」的一貫性與含意，爲中庸成德、化育的工夫，立下一個綱領。尤其「愼獨」一語，更是緊要。第二部分繼續說明「率性之謂道」「修道之謂教」，強調成德工夫，要在一個「誠」字，能「誠」，天性才發揮得出來。第三部分說明由於「誠」的工夫，能發揮天性，修得天道，便可達成「內聖外王」之理想，即首章「致中和，天地位焉，萬物育焉」。

【本文】

㈠

天命之謂性⑴，率性之謂道⑵，修道之謂教⑶。道也者，不可須臾離⑷也；可離，非道也。是故君子戒愼乎其所不睹，恐懼乎其所不聞；莫見乎隱⑸，莫顯乎微⑹；故君子愼其獨⑺也。

喜怒哀樂之未發，謂之中⑻；發而皆中節，謂之和⑼。中也者，天下之大本也；和也者，天下之達道也。致中和(10)，天地位(11)焉，萬物育焉(12)。

(二)

「誠者，天之道也；誠之(14)者，人之道也。誠者，不勉而中(15)，不思而得，從容(16)中道，聖人也；誠之者，擇善而固執之者也。」（第二十章）

「自誠明，謂之性(17)；自明誠，謂之教(18)。誠則明矣，明則誠矣。」（第二十一章）

(三)

「唯天下至誠，爲能盡其性(19)；能盡其性，則能盡人之性；能盡人之性(20)，則能盡物之性(20)；能盡物之性，則能贊(21)天地之化育；能贊天地之化育，則可以與天地參矣(22)。」

（第二十二章）

【注釋】

(1)天命之謂性—意謂人的本性是天所賦予的。這是儒家「天人合一」的根本觀念，以天道爲人道的根源，把天道、人道連成一體。

(2)率性之謂道—遵循天賦之性所發揮出來的便是「道」；既是「天道」，也是「人道」。這是由內而外的成德方法。

(3)修道之謂教—修養天道（即人道）稱爲「教」。這是後天的塑造，靠外在的約束來完成德養，有著受人之「教」。與「率性」正好一內一外，使成德工夫更圓滿。

(4)不可須臾離—即「庸」，謂「道」爲不可移易之常道。

(5)莫見乎隱—沒有比晦暗不清時更明朗的了，比喻事情初發時最玄，易掌握，也最須謹愼。見，形容詞，同「現」，明朗。隱，晦暗不清。

(6)莫顯乎微—沒有比微細時更明顯的了，含意同前句。

(7)愼其獨—獨居時特別謹愼。因爲一不小心，就會萌發不善，擴大以後就不好控制了。

(8)喜怒……謂之中—「中」，指存於內心之「性」。所以說是「天下之大本」。喜怒哀樂是情，未表現於外是性，因爲未表現出來，而存於內，所以稱「中」。

(9)發而……之和—中，音ㄓㄨㄥˋ，合乎。節，節度。這便是「率性之謂道」，所以下文說是「天下之達道」。意謂喜怒哀樂都能恰當地表現，維持人際之和諧。並不是說有的「中」發而中節，稱爲「和」，有的「中」則發而不中節；須留意「皆」字。

(10)致中和—推極天命之性（中），以及率性之道（和）。

(11)位—動詞，安於其位。

(12)萬物育焉—人不違天道，不破壞其生長，便等於提供萬物生長的環境，誘導其生長。

(13)誠—眞誠無妄，不殘害天性，這是率性的工夫。

⒁誠之—誠，動詞，使其眞誠無妄，這是後天的修養。
⒂不勉而中—不須勉強，便合乎天道。
⒃從容—安閒自得，即「不勉」。
⒄自誠明，謂之性—基於「誠」來發揮，是先天的本性；「自誠明」，即「率性」。
⒅自明誠，謂之教—在修養中達到「誠」，是後天的教化；「自明誠」，即「修道」。
⒆盡其性—完全發揮他天賦的本性。此即「自誠明」之最高境界，所以稱「至誠」。
⒇盡人之性，盡物之性—誘發他人、萬物之本性。這是「教」的另一種形態。
(21)贊—輔助。
(22)與天地參—與天地並立爲三。

【討論】

一、說明「愼獨」的要旨。
二、「誠」與「誠之」有何不同？
三、說明「誠」「誠之」，與「率性」「修道」之關係？
四、中庸所謂「化育」工夫的內容爲何？試闡述其理。

三 鄭伯克段於鄢（節）

左傳

【作者】

左傳相傳爲左丘明所作，本名左氏春秋，到了漢書藝文志，稱爲「左氏傳」，與「公羊傳」、「穀梁傳」並置於春秋經下，稱爲春秋三傳。

左丘明，是春秋時魯國的太史，生平事蹟不可考。

《左傳》，是配合春秋而作的史書，體例、筆法都相同。孔子作春秋，以魯國爲中心，編年記事，起自魯隱公元年（西元前七二二年），歷桓、莊、閔、僖、文、宣、成、襄、昭、定十公，至哀公十七年（西元前四八一年），共十二公，二百四十二年。左傳記事直至魯哀公二十七年（西元前四六八年），甚至提到三家分晉之事，有一些是有傳無經之文。

左傳兼歷史、思想、文學三特性，可由其中疏理古代歷史發展的軌跡，汲取古代儒家思想之要旨，挖取文學寶藏，所以歷來很受重視。最通行的注本爲晉杜預注與宋林堯叟左傳句解合刻本。

【題解】

周宣王封弟友於鄭（陝西鄭縣），是爲鄭桓公。幽王時，天下將亂，桓公便去請示太史伯遷國事誼，太史伯教他遷往黃河邊東虢（文王弟虢叔封地，在今河南省滎澤縣滎亭，後爲鄭所滅。）鄶（周初祝融子孫封地，在今河南密縣東北，後爲鄭武公所滅。）之間。於是桓公東遷，名新鄭（今河南鄭州）。犬戎作亂，桓公殉難，子武公起兵勤王，合併虢、鄶領土，爲中州伯。武公卒，子莊公寤生繼位。莊公元年，封其弟共叔段于京，二十二年克段于鄢。此年即魯隱公元年（西元前七二二年），爲春秋記史的第一年。

本課便是記述鄭莊公平定共叔段的前後經過，藉以諷刺鄭莊公兄弟母子；由於他們的處心積慮，罔顧倫常，才會釀成一場戰亂。透過史家的妙筆，莊公的陰謀，共叔的愚昧，武姜的癡溺，都躍然而現。

【本文】

初，鄭武公(1)娶于申(2)，曰武姜(3)，生莊公(4)及共叔段(5)。莊公寤生(6)，驚姜氏，故名曰寤生，遂惡之，愛共叔段，欲立之，亟(7)請於武公，公弗許。

及莊公即位，爲之請制(8)。公曰：「制巖邑(9)也，虢叔(10)死焉，佗(11)邑唯命。」請京(12)，使居之，謂之「京城大叔」。祭仲(13)曰：「都城過百雉(14)，國之害也。先王之制，大都不過三國之一(15)，中五之一，小九之一，今京不度(16)，非制也，君將不堪(17)。」公曰：「姜氏欲之，焉辟害(18)？」對曰：「姜氏何厭(19)之有，不如早爲之所(20)，無使滋蔓

(21)，蔓難圖也(22)；蔓草猶不可除，況君之寵弟乎？」公曰：「多行不義必自斃(23)，子姑待之。」

既而大叔命西鄙北鄙貳於己(24)，公子呂(25)曰：「國不堪貳，君將若之何？欲與大叔，臣請事之，若弗與，則請除之，無生民心。」公曰：「無庸(26)，將自及。」大叔又收貳以爲己邑，至于廩延(27)。子封曰：「可矣，厚將得衆(28)。」公曰：「不義不暱(29)，厚將崩。」

大叔完聚(30)，繕甲兵(31)，具卒乘(32)，將襲鄭，夫人將啓之(33)。公聞其期曰：「可矣。」命子封帥(34)車二百乘，以伐京，京叛大叔段。段入于鄢(35)，公伐諸鄢，五月辛丑、大叔出奔共(36)。

書曰(37)：「鄭伯克段于鄢。」段不弟，故不言弟；如二君，故曰克(38)；稱鄭伯(39)，譏失教也(40)。

【注釋】

(1)鄭武公—名掘突，鄭國第二代君，周平王元年（西元前七七〇年）即位，在位二十七年。鄭，伯爵，姬姓國，在今河南新鄭縣西北，原都棫林。

(2)申—姜姓國，侯爵，在河南南陽縣北二十里。

(3)武姜—武公妻姜氏。武是夫諡，姜是父姓，是春秋時的習慣稱法。

(4)莊公—周平王二十八年（西元前七四三年）即位，在位四十三年。

(5)共叔段—莊公弟，其後出奔共國，故稱「共叔」。

(6)寤生—出生時腳先出來，今臺灣話罵人「倒頭生」，即是此意。寤，同「牾」，逆。

(7)亟請—屢次請求。亟，音ㄑㄧˋ，頻數。

(8)制—鄭邑，故城在今河南汜水縣南十里。

(9)巖邑—險要之邑。

(10)虢叔—虢，音ㄍㄨㄛˊ，虢叔是東虢第一代國君。虢國在今河南汜水縣東十里。其後世憑恃險要，不務德義，結果爲鄭所滅。故此稱「虢叔死焉」。

(11)佗—同「他」。

(12)京—鄭邑，在今河南滎陽縣東南二十里。

(13)祭仲—鄭大夫。祭，鄭地，今河北中牟縣，音ㄓㄞˋ。祭仲以邑爲氏，仲是其排行。

(14)百雉—方丈曰堵，三堵曰雉，一雉之牆，長三丈，高一丈，所以百雉是高一丈，長三百丈的城牆。侯國都城方五里，長三百雉，其大都不得超過三分之一—百雉。

⒂三國之一——都城的三分之一。
⒃不度—不合制度。
⒄不堪—不任，控制不住。
⒅焉辟害—何能躲避禍害。焉，何。辟，同「避」。
⒆厭—滿足。
⒇爲之所—設法、處置。
㉑滋蔓—滋，益；蔓，延。滋蔓，增益蔓延。
㉒難圖—不好對付。
㉓斃—覆亡。
㉔西鄙北鄙貳於己—鄙，邊邑。貳，兩屬。貳於己，背叛莊公，而心向己。
㉕公子呂—鄭大夫，字子封。
㉖無庸—不用，庸即「用」。
㉗廩延—鄭國西北邊邑，在今河南延津縣附近。
㉘厚將得衆—厚，土地廣大。得衆，得民心。
㉙暱—親。
㉚完聚—修治城郭，聚集人民。完，修治。
㉛繕甲兵—繕，修治整理。甲，衣裝。兵，武器。

(32)具卒乘—具，備。卒，步兵。乘，戰車。
(33)啓之—啓，開，導。啓之，即作內應。
(34)帥—指揮。
(35)鄢—邑名，今河南鄢陵縣境內。
(36)共—邑名，音ㄍㄨㄥ，今河南輝縣境內。
(37)書—指春秋一書。
(38)克—兩國戰爭，甲勝乙稱「克」，平定內亂應稱「討」。
(39)稱鄭伯—諸侯國應稱「某公」。
(40)失教—爲兄爲君，不教戒其弟臣，乃任由叛逆，而後欲殺之，眞是所謂「不教而殺謂之賊」。

【結構】

請用簡要文字，依後表，以共叔段的作爲爲主，把本文要點整理出來：

共叔段
諫者、諫言
鄭莊公

【討論】

一、姜氏爲共叔段做了那些事？你對這些作爲的看法如何？
二、莊公對於共叔段的作爲，不是說聽順武姜的話，就說是作不義將自斃，其眞正居心何在？請舉例來說明。
三、表面上，莊公是義盡仁至，實際上卻必欲殺其弟而後快，能否談談他的心理呢？
四、比較祭仲、公子呂二人進諫的動機及依據。
五、依你看，這件事能否防範？若事先防範，會不會另生枝節？
六、本文首段的記載有什麼作用？
七、本文層次分明，循序漸進，請以〔結構〕中整理出來的材料來說明。
八、請說明春秋「鄭伯克段于鄢」六個字中的褒貶含意。

四　老子選

【作者】

老子一書，是否在老子時已成書，固然有很多人懷疑，但是它代表老子的思想，則是不可置疑的。老子，姓李，名耳，字聃，春秋宋國人。（宋後來為楚所滅，故也有人說是楚國人。）大約與孔子同時，其生平事蹟已不可考。

老子的學說與孔子的「人文主義」完全不同；孔子以「人」為中心，建立起倫理道德觀念，老子則以「宇宙」為中心，反對人為的造作。

老子認為宇宙中有「道」存在，人既然生長在宇宙中，自當遵行「道」的規則，而不要受人為因素干擾，才能維持宇宙和諧，所以要「無為」。這「無為」只是不依人為的規範去做，並不是不做，是要順著「道」去做的，所以能有「無不為」的功效。這種「無不為」的功效，既沒有人為規範的約制，從人的立場來看，便會覺得「自然而然」，事實上還是受「道」所左右。

由於老子的思想比較玄遠，加上書中的文字太簡要，便引起一些誤解。沒有發現「道」這個宇宙規範的人，以為老子講求放任；不了解「無為」含意的人，以為老子沒有建設，或者耍陰謀；而有大多數的人，對老子總是抱著神奇的態度，因為人總是以人類為中心，能忘掉人類，從宇宙的立場看人類的有多少？

【題解】

老子一書共八十一章，（也有分成七十九章、七十二章的。）有五千字左右。與論語相似，每一章都是短小精要的名言，但是不記錄立言的人。（想必是老子所說的。）

這裡選了七章，分成四部分，分別說明「道」之存在及屬性，遵「道」以後的形貌，修「道」的原則，以及「道」在政治上的應用。

【本文】

(一)道

二十五章

有物混成(1)，先天地生，寂兮寞兮(2)，獨立(3)而不改(4)，周行(5)而不殆(6)，可以爲天下母。吾不知其名，字之曰道。

四十章

反者，道之動(7)；弱者，道之用(8)。

(二)遵「道」

五十二章

天下有始，以爲天下母，既得其母，以知其子，既知其子，復守其母，沒身不殆⑼。

五十六章

塞其兌⑽，閉其門，挫其銳⑾，解其紛⑿，和其光⒀，同其塵⒁，是謂玄同⒂。故不可得而親，不可得而疏，不可得而利，不可得而害，不可得而貴，不可得而賤⒃，故爲天下貴。

㈢修「道」

四十八章

爲學日益，爲道日損⒄。損之又損，以至於無爲⒅。無爲而無不爲⒆。

七十六章

人之生也柔弱，其死也堅強，萬物草木之生也柔脆，其死也枯槁，故堅強者，死之徒；柔弱者，生之徒。是以兵強則不勝，木強則折，強大處下，柔弱處上⒇。

㈣用「道」—施政

三章

不尚賢，使民不爭；不貴難得之貨，使民不爲盜；不見可欲，使民心不亂(21)。是以聖人之治，虛其心，實其腹，弱其志，強其骨，常使民無知無欲，使夫智者不敢爲也(22)。爲無爲，則無不治。

【注釋】

(1)混成—渾然一體，無法辨析。混，同「渾」。
(2)寂兮寞兮—渺茫幽遠，不可感知。寂寞，孤弱微細。
(3)獨立—不必依恃他物才能存在。
(4)不改—不會有所變易。
(5)周行—廣泛地運行於宇宙中。周，徧。
(6)不殆—永遠不會有危殆。
(7)反者道之動—道運行的時候，從人的立場來看，都是以反面爲本的。（就「道」來看，沒什麼正反面之分。）

(8)弱者道之用—道發揮效用的方式是柔弱的。（這一句可以看成上一句的實例。）

(9)天下有始……不殆—始母指「道」。這幾句是說：能夠以「道」看天下，遵「道」守「母」，才能達成終身不危殆的境界。

(10)塞其兌—兌，口；其，指自己。堵住出口，並非毫不顯現，乃是指得道之人，含斂不露，形貌不與衆人不同的意思。以下六句含意都一樣。

(11)挫其銳—抑制其銳勢。挫，抑制；銳，進取之勢。

(12)解其紛—捨棄其展現機會。解，放；紛，衆多的才能。

(13)和其光—緩和其光芒。

(14)同其塵—使其形迹與大家相同。塵，形迹。

(15)玄同—同，指上六句所講的，形貌與衆人相同。玄，深遠不易察知。得道之人，雖外表與人無異，實則大有不同；這種隨同流俗的境界，是不容易做到的，一般人也不容易領會，所以叫「玄同」。

(16)不可得而親……而賤—這六句是說得「道」之人的表現與一般人無異，無法去判定其高下得失。

(17)損—掃除自身所感染的人爲規範。

(18)以至於無爲—達到毫無人爲氣息的境界，那已是完全配合「道」了。

(19)無爲而無不爲—「無爲」是原則、過程，無不爲是效用、結果。

(20)此章舉例說明柔弱勝剛強的道理，勉人要往柔弱處用心，即上文的「損」。但柔弱只是方式，並不是結果。同時，柔弱只是修道過程中的跳板，其最終目標，是「無爲」；沒有人爲的相對觀念，只有順「道」

的絕對功能。

(21)君王有所崇尚愛好，臣民必定爭相奪取表現，爭亂盜賊必會發生。

(22)虛其心……不敢爲也—所謂「無知無欲」「不敢爲」，並非一般人想像中的「愚民」，「壓制」，而是使人民各盡所能、各盡其本分就好，不使人民妄自作爲，馳騁自欲，以免引起如上六句所說的爭亂。

【討論】

一、老子所謂「道」具有何種屬性？

二、爲學何以會日益？爲道何以會日損？

三、「玄同」是什麼樣的境界？達到這個境界是什麼狀態？

四、老子認爲應如何使人民「無知無欲」？這個做法是否爲愚民政策？請加辨析。

五　逍遙遊（節）

莊　子

【作者】

莊子，名周，宋國蒙人（今河南商邱縣南），也有人說是楚的蒙人；約與孟子同時。

莊子曾經做過蒙地漆園的官吏，楚威王聽說他很賢能，派大使帶厚幣去聘請他做卿相，但莊子自甘淡泊，不慕顯貴，從此浪跡天涯，放浪不羈的過了一生。

莊子的思想與老子同一路向，都以消除「人爲」造作，遵行「天道」爲本，不過老子沒有莊子徹底。老子認爲人間還須有「聖人」爲治—引導人民遵「道」，莊子則偏向個人自治—自己遵「道」。老子仍有人爲萬物之靈的想法，莊子則認爲人與萬物都是「機」「種」轉化出來的形體而已，沒有不同。因此，莊子除了秉承老子，繼續闡述「天道」之可貴外，特別強調「齊萬物」「通人我」「一生死」，說明人我、物我皆居同等地位（不是秉質相同），只是形質不同而已。另外，他還強調「泯是非」，認爲「是」「非」觀念沒有固定的標準，只是人爲的限制而已，反而引起爭端；其實是各有所見，而每個人所見的也只是一部分而已，都不能完全。所以「是」「非」所指的事物地位也相等，根本沒有必要去分是非，只要「遵道」便是了。

現存的莊子書共有三十三篇，文字汪洋飄逸，而且用了很多寓言，加上莊子「齊」（看成同等地位）

的態度超然難以捉摸，很多人就誤解莊子，以爲莊子沒立場。事實上，莊子仍有立場，只是一切依遵天道，沒有「人爲」的立場而已。

【題解】

「逍遙遊」是莊子第一篇，代表莊子的基本人生觀。他認爲人總是等待外物來造就自己的心願，而爲物所累，弄得悲歡貪瞋俱生，不得安寧。他認爲人應自求行「道」，不待外物，求逞欲望，只求展現秉諸於「天」的道「性」，與天地同遊，而「逍遙」在世界上。（不是離開世界。）

文中用了不少寓言與譬喻，這裡雖只選了兩段，多少也看得出其文章的特色。

【本文】

小知不及大知，小年不及大年。奚以知其然也？朝菌不知晦朔⑴，惠蛄不知春秋⑵，此小年也。楚之南有冥靈⑶者，以五百歲爲春，五百歲爲秋；上古有大椿者，以八千歲爲春，八千歲爲秋；此大年也。而彭祖⑷乃今以久特聞，衆人匹之，不亦悲乎？……。窮髮之北⑸，有冥海⑹者，天池也，有魚焉，其廣⑺數千里，未有知其修⑻者，其名爲鯤。有鳥焉，其名爲鵬，背若泰山，翼若垂天之雲，摶扶搖羊角而上⑼者九萬里，絕雲氣⑽，負青天⑾，然後圖南且適⑿南冥也。斥鴳⒀笑之曰：「彼且奚⒁適也？我騰躍而上，不過數仞⒂，而下翱翔蓬蒿之間，此亦飛之至⒃也！而彼且奚適也？」此小大之辨⒄也。

故夫知效一官⒅，行比一鄉⒆，德合一君⒇，而徵一國(21)者，其自視也亦若此(22)矣。而宋榮子(23)猶然(24)笑之；且舉世而譽之而不加勸(25)，舉世而非之而不加沮(26)，定乎內外之分(27)，辨乎榮辱之竟(28)，斯已(29)矣。彼其於世，未數數然也(30)，雖然，猶有未樹(31)也。夫列子(32)御風而行，泠然(33)善也，旬有五日而後反(34)。彼於致福(35)者，未數數然也；此雖免乎行，猶有待者也(36)。若夫乘天地之正(37)，而御六氣之辯(38)，以遊無窮(39)者，彼且惡乎待哉？故曰：至人無己，神人無功，聖人無名(40)。

【注釋】

⑴不知晦朔－陰曆第一天叫「朔」，最後一天叫「晦」。朝菌（植物）命短，陰天生糞上，見日便死，永遠不知一個月的終始何在。

⑵不知春秋－惠蛄（動物）活不過一年，春生夏死，夏生秋死，不知一年有四季之分。

(3)冥靈—長命龜。

(4)彭祖—傳說中的長壽者，從堯時到商代，活了七百餘歲。

(5)窮髮之北—北方無毛之地。窮，盡，此爲「無」的意思。

(6)冥海—深而廣之海。

(7)廣—寬。

(8)修—長。

(9)摶扶搖羊角而上—摶，拍擊；扶搖，上吹的風；羊角，旋風。這一句是說牠乘著扶搖風羊角風直飛而上。

(10)絕雲氣—衝破雲層而上，表示飛得很高。絕，斷。

(11)負青天—背著青天，表示與青天不遠。

(12)適—往。

(13)斥鴳—小鳥，飛不過一尺遠。

(14)奚—何，那裏。

(15)仞—七尺、八尺爲一仞。

(16)飛之至—盡了飛的能事，表示飛得很自由了。

(17)小大之辨—一般人所謂的「小」「大」的分別。指前頭的「小年」「大年」，以及斥鴳的「小飛」「小至」，鵬鳥的「大飛」「大至」。莊子並不是說「小」不好，「大」才好，只是說「大」「小」是比較的結果，不能執於己見，而追逐不休，或譏斥自是；換句話說，根本不值得去比「大」「小」。

⒅知效一官—才智足以擔任某一官職。效，同「効」，効力、負責。
⒆行比一鄉—行爲足以統領某一鄉。比，合。
⒇德合一君—德性合於當國君的資格。
(21)而徵一國—能力足以取得國人的信服。而，通「能」，古同音。徵，得。
(22)其自……此—都自以爲是。此，指莊子所舉的斥鴳，囿於一隅而沾沾自喜。
(23)宋榮子—齊威、宣時代人，大約在西元前四〇〇至三二〇年間。是位傑出的反戰思想家。
(24)猶然—喜笑的樣子。
(25)勸—勉勵。
(26)沮—喪氣失色。
(27)定乎內外之分—定，明辨。內，我；外，物。分，分際，分野。
(28)辨乎榮辱之竟—竟，通「境」。明察榮辱爲不足執持的外物。
(29)斯已矣—斯，此。已，止。
(30)數數然—汲汲然，急促追求的樣子。
(31)未樹—未能達到。樹，立。謂宋榮子境界還不高。（宋榮子尚有內外之分，尚有人我之別，所以會笑別人。）
(32)列子—即列禦寇，爲春秋時代鄭國思想家。
(33)泠然—飄逸，輕妙。

(34)反—同「返」。
(35)致福—致，得。求取福利。
(36)有所待—有所期待、依恃。（指「風」）
(37)乘天地之正—順著天地之間的規律。乘，用；正，指「道」。
(38)御六氣之辯—隨著天氣的變化。六氣，陰陽風雨晦明；辯，通「變」。
(39)遊無窮—順應自然的律則，則不受任何限制，隨處可往，隨時可在，不會有窮盡。（無窮不是指遠方）
(40)至人無己句—能達到逍遙的極高境界的，稱他為「至人」、「神人」、「聖人」都可以。「至人無己」，乃按其本體而言，與道合而為一，故無建己之患。「神人無功」，乃按其功用而言，雖功在萬世，卻又無功可見。「聖人無名」，乃按其名相而言，雖歌頌載道，卻又蕩蕩乎民無能名。這說明了莊子的人生最高境界，即與道同體而解脫自在。

【討論】

一、莊子所謂「逍遙遊」是怎樣的一種境界？
二、莊子認為宋榮子、列子有那些出人之處？又有那些未與「道」合之處？
三、鵬與斥鴳到底何者能「逍遙」？
四、大椿與彭祖何者能算「久」？
五、莊子叫人勿執持己見，去與他人比較，但自己卻批評了宋榮子、列子，似乎以自己的觀點為「是」，是否有矛盾？

六　楚辭選　離騷　山鬼　漁父　屈原

【作者】

屈原，名平，一名正則，字靈均，戰國時楚國的王族，故鄉在今湖北省秭歸縣。

楚宣王二十七年（西元前三四三年），正月二十一日生。

楚懷王十一年（西元前三一八年），二十六歲，任左徒，受懷王信任。

楚懷王十二年（西元前三一七年），二十七歲，出使齊國，聯齊以抗秦。

楚懷王十五年（西元前三一四年），三十歲，懷王使屈原起草憲令，上官大夫欲奪其稿不得，屈原受讒被疏。

楚懷王十六年（西元前三一三年），三十一歲，張儀至楚，以商於之地六百里為釣餌，誘騙懷王與齊絕交，懷王大悅。屈原勸諫懷王勿信張儀，懷王不聽，遂絕齊，屈原被讒去職。

楚懷王十七年（西元前三一二年），三十二歲，懷王向秦索地，張儀偽稱原先約定給與六里，懷王大怒，發兵攻秦，大敗而歸，漢中之地失陷。屈原被召回郢都，任三閭大夫，再度出使齊國，齊楚復交。

楚懷王十八年（西元前三一一年），三十三歲，秦與楚和好，懷王欲殺張儀，及張儀至楚，懷王竟聽鄭袖、上官大夫之言，善待張儀，並放走張儀。屈原自齊返楚，勸懷王殺張儀，王後悔，但張儀已遠去，不可追及。

楚懷王二十四年（西元前三〇五年），三十九歲，秦昭王初立，厚賄楚，楚復背齊合秦，屈原諫而不聽。四月屈原被逐漢北，在放逐六年中作離騷。

楚懷王二十九年（西元前三〇〇年），四十四歲，秦復攻楚，懷王使太子橫質於齊，以求和平。屈原放逐中被召回，出使齊國。

楚懷王三十年（西元前二九九年），四十五歲，秦攻楚，遣書懷王，請會於武關以結盟，屈原勸懷王勿赴會，懷王不聽，被誘至咸陽，要脅割地。楚大夫迎太子橫於齊，是為頃襄王。

頃襄王二年（西元前二九七年），四十七歲，懷王逃歸未成，被秦押回咸陽。

頃襄王三年（西元前二九六年），四十八歲，懷王病死於秦，秦人歸其喪，屈原嫉子蘭（頃襄王弟）勸懷王入秦，子蘭使上官大夫短屈原於頃襄王，王怒，屈原被放逐江南。

頃襄王二十一年（西元前二七八年），六十六歲，秦將白起攻陷郢都，楚遷都陳丘。屈原被放逐江南達十九年，至長沙，作漁父、懷沙、惜往日，五月五日，投汨羅江，以身殉國。

屈原年輕時，才華橫溢，知識淵博，明於興衰治亂，嫻於外交辭令，在朝中與懷王議論國事、發布政令，對外則接待賓客、應對諸侯。懷王委以重任，屈原亦胸懷大志，想輔佐懷王治國、平天下，在內政上建立法令制度，提倡選賢與能、培育人才，在外交上則主張聯齊抗秦的策略。正當楚國大有為時，令尹子蘭、上官大夫、靳尚等朋比為奸，加之楚王昏庸、聽信讒言，屈原滿腔熱血所得僅是疏遠、放逐、再放逐。因此將信而見疑，忠而見謗的愛國情懷，化成不朽的詩篇。屈原作品有離騷、九歌、天問、九章、遠遊、卜居、漁父等二十五篇。

【題解】

離騷，屈原代表作，為一篇血淚交織的政治抒情詩。全篇三百七十三句，兩千四百九十字，本文僅節選其述懷部分而已。離騷二字，司馬遷云：「離騷者，猶離憂也。」班固云：「離，猶遭也；騷，憂也，明己遭憂作辭也。」蓋屈原被放逐漢北時，一方面惡讒言蔽明，那曲害公，方正不容；一方面顧念楚國，心繫懷王，志不得伸，故在篇中反覆致意，冀望懷王能及時醒悟。

山鬼，選自九歌。九歌原為楚地民間祭祀的歌詞，經屈原潤飾而成，包括東皇太一、雲中君、湘君、湘夫人、大司命、少司命、東君、河伯、山鬼、國殤、禮魂等十一篇，其中充滿濃厚宗教色彩。九歌十一篇中，湘君、湘夫人、河伯、山鬼四篇筆法浪漫，為淒惋的戀歌，尤其山鬼一篇情意纏綿。山鬼即山神，為山中的精靈。文中首段為女巫所唱，其餘為山鬼所唱。

漁父，舊題屈原作，朱熹云：「漁父者，屈原之作也。」乃屈原借漁父的問答，以明其志與高尚節操。但後人懷疑者多，以為是楚人思念屈原，敘其辭以成，亦未可知。本篇如為屈原所作，當作於被放逐江南時，篇中有「寧赴湘流，葬於江魚之腹中。」因心意已決，故再作懷沙、惜往日，即投汨羅江而去矣。

【本文】

(一)離騷（節選）

帝高陽(1)之苗裔(2)兮，朕(3)皇考曰伯庸。攝提貞(4)于孟陬(5)兮，惟庚寅(6)吾以降。皇覽揆余于初度(7)兮，肇(8)錫余以嘉名：名余曰正則(9)兮，字余曰靈均。紛(10)吾既有此內美(11)兮，又重之以脩能(12)，扈江離與辟芷(13)兮，紉(14)秋蘭以為佩。汩(15)余若將不及兮，恐年歲之不吾與(16)，朝搴阰(17)之木蘭兮，夕覽洲之宿莽(18)。日月忽其不淹(19)兮，春與秋其代序，惟草木之零落兮，恐美人(20)之遲暮。……

余既滋(21)蘭之九畹(22)兮，又樹蕙之百畝，畦畱夷與揭車(23)兮，雜杜蘅與芳芷(24)。冀枝葉之峻茂兮，願竢時乎吾將刈(25)，雖萎絕其亦何傷兮，衷眾芳之蕪穢(26)。眾皆競進以貪婪兮，憑不厭乎求索(27)，羌內恕己以量人(28)兮，各興心而嫉妒。忽馳騖以追逐兮，非余心之所急。……

長太息(29)以掩涕(30)兮，哀民生之多艱。余雖好修姱(31)以鞿羈(32)兮，謇朝誶而夕替(33)。既替余以蕙纕兮，又申之以攬茝(34)，亦余心之所善(35)兮，雖九死其猶未悔。怨靈脩(36)之浩蕩(37)兮，終不察夫民心(38)。眾女嫉余之蛾眉(39)兮，謠諑(40)謂余以善淫(41)。固時俗之工巧(42)兮，偭規矩而改錯(43)。背繩墨以追曲(44)兮，競周容(45)以度為。忳鬱邑(46)余侘傺(47)兮，吾獨困窮乎此時也。寧溘(48)死以流亡兮，余不忍為此態(49)也。……

(二)山鬼

「若有人兮山之阿(50)，被薜荔兮帶女羅(51)。既含睇(52)兮又宜笑(53)，『子慕予兮善窈窕(54)』。」

「乘赤豹兮從文狸(55)，辛夷車(56)兮結桂旗(57)，被石蘭兮帶杜衡，折芳馨兮遺(58)所思。余(59)處幽篁兮終不見天，路險難兮獨後來。表(60)獨立兮山之上，雲容容(61)兮而在下。杳冥冥(62)兮羌晝晦，東風飄飄兮神靈雨(63)。留靈脩(64)兮憺(65)忘歸，歲既晏(66)兮孰華予(67)？

采三秀(68)兮於山(69)間，石磊磊(70)兮葛蔓蔓(71)。怨公子(72)兮悵忘歸，君思我兮不得閒。

山中人(73)兮芳杜若，飲石泉兮蔭松柏；君思我兮然疑作(74)。

靁填填(75)兮雨冥冥(76)，猨啾啾(77)兮狖(78)夜鳴，風颯颯(79)兮木蕭蕭(80)，思公子兮徒離(81)憂。」

㈢漁夫

屈原既放，遊於江潭(82)，行吟(83)澤畔；顏色憔悴，形容枯槁(84)。漁父見而問之曰：「子非三閭大夫(85)歟?何故至於斯？」

屈原曰：「舉世皆濁(86)我獨清，眾人皆醉我獨醒，是以見放(87)。」漁父曰：「聖人不凝滯於物(88)，而能與世推移(89)。世人皆濁，何不淈(90)其泥而揚其波(91)？眾人皆醉，何不餔(92)其糟(93)而歠(94)其釃(95)？何故深思高舉(96)，自令放為(97)？」

屈原曰：「吾聞之：新沐者必彈冠(98)，新浴者必振衣。安能以身之察察(99)，受物之汶汶(100)者乎？寧赴湘流，葬於江魚之腹中；安能以皓皓(101)之白(102)，而蒙世俗之塵埃乎？」

漁父莞爾而笑，鼓枻(103)而去。乃歌曰：「滄浪之水清兮，可以濯吾纓；滄浪之水濁兮，可以濯吾足。」遂去，不復與言。

【注釋】

(1)高陽—古帝顓頊的稱號。顓頊後代，有熊繹者，事周成王，封為楚子，居於丹陽，傳國至熊通，始稱王，遷都於郢，為楚武王。屈原的祖先屈瑕，為楚武王兒子，受封於屈邑，因以屈為氏。

(2)苗裔—指遠代子孫。

(3)朕—我。秦以前第一人稱代詞。

(4)攝提貞—太歲在寅稱攝提貞，即寅年。

(5)孟陬—孟春正月。陬，正月。

(6)庚寅—庚寅日。

(7)初度—指初生的氣度。

(8)肇—始。

(9)正則──謂公正的法則。
(10)紛──眾多。
(11)內美──內在美好的本質。指美好的生日、名字。
(12)脩能──優秀的才能。
(13)扈江離與辟芷──扈，披。江離、辟芷，香草名。
(14)紉──編結。
(15)汩──水流迅疾，喻時光飛逝。音ㄩˋ。
(16)不我與──不等待我。與，待。
(17)搴阰──搴，摘取。阰，高岡。
(18)覽洲之宿莽──覽，摘取。宿莽，一種經冬不凋的香草。
(19)淹──久留。
(20)美人──指楚懷王，一說比喻自己。
(21)滋──種植。
(22)九畹──比喻很多。畹，田三十畝。
(23)畦留夷與揭車──畦，此處作動詞，指分區種植。留夷、揭車，香草名。
(24)杜衡與芳芷──杜衡，葉似葵，形如馬蹄，俗稱馬蹄香。芳芷，香草名。

(25)刈—收割。

(26)蕪穢—荒蕪雜亂。比喻所培育的人才，變質、變節。

(27)憑不厭乎求索—憑，滿。厭，同「饜」，滿足。索，求取。謂已飽滿了，仍不知足的索求。

(28)羌內恕己以量人—羌，發語詞。恕己以量人，謂小人以己之心，揣度別人。恕，以心度心。

(29)太息—嘆息。

(30)掩涕—掩面拭淚。

(31)修姱—潔淨美好。

(32)鞿羈—馬韁繩和馬絡頭。喻自我約束。音ㄐㄧ ㄐㄧ。

(33)謇朝誶而夕替—謇，發語詞。誶，進諫。替，廢逐。

(34)既替……攬茝—替，讒毀。纕，臂佩帶，音ㄋㄤˊ；蕙纕，以蕙為臂佩帶。申，重斥。此二句謂既讒毀我用蕙草做臂佩帶，又重斥我不該手持芳茝。

(35)善—喜好。

(36)靈脩—指楚懷王。

(37)浩蕩—喻糊塗。

(38)民心—人心。指屈原。

(39)眾女嫉余之蛾眉—眾女，喻眾讒人。蛾眉，借指美女，喻美德。

(40)謠諑—造謠中傷。

(41)淫—邪淫、邪惡無度。

(42)工巧—善於取巧。

(43)偭規矩而改錯—背棄法度，更改措施。偭，違背，音ㄇㄢˇ。錯，同「措」。

(44)追曲—追求邪曲。

(45)周容—苟合取容。

(46)忳鬱邑—忳，憂悶，音ㄊㄨㄣˊ。鬱邑，鬱抑苦悶。

(47)侘傺—失意不得志，音ㄔㄚˋ ㄔˋ。

(48)溘—忽然。音ㄎㄜˋ。

(49)此態—指小人的醜態。

(50)山之阿—山的角落。阿，曲隅。

(51)被薜荔兮帶女羅—披薜荔為衣，以女羅為帶。被，同「披」。

(52)含睇—含情微視。

(53)宜笑—笑容動人。

(54)子慕予兮善窈窕—子，你，山鬼對情人的稱呼。予，指山鬼。窈窕，美好的姿態。

(55)從文貍—帶著身上有花紋的貓。文，同「紋」。

(56)辛夷車——以辛夷木做的車。

(57)結桂旗——以桂枝編結的旗子。

(58)遺——贈送。

(59)余——指山鬼自稱。

(60)表——超然特立的樣子。

(61)容容——即溶溶，形容雲氣飄動。

(62)杳冥冥——幽深昏暗。

(63)神靈雨——雨神降雨。

(64)靈脩——山鬼思念的人。

(65)憺——愉悅。

(66)歲既晏——年華已老。

(67)孰華予——誰給我生命的光輝。

(68)三秀——指靈芝草。

(69)於山——於，在。或作巫山。

(70)磊磊——亂石堆積。

(71)蔓蔓——蔓延綿長。

(72)公子—山鬼思念的人。
(73)山中人—山鬼自稱。
(74)然疑作—信疑交作。然，信而不疑。
(75)填填—雷聲。
(76)雨冥冥—細雨濛濛。
(77)啾啾—猿猴哀叫聲。
(78)狖—長尾猴。
(79)颯颯—風聲。
(80)蕭蕭—風吹落葉聲。
(81)徒離—徒，徒然。離，遭受，同「罹」。
(82)江潭—江，沅江，一作湘江。潭，深水。
(83)行吟—邊走邊吟詩。
(84)形容枯槁—形體容貌枯瘦。
(85)三閭大夫—楚官名，掌管楚國王族屈、景、昭三姓的事務。
(86)濁—污濁，指追逐權勢名利。
(87)見放—被放逐。

(88)凝滯——執著、拘泥。指對事物看法固執、不知變通。
(89)與世推移——隨時俗變化。
(90)淈——攪渾。音ㄍㄨˇ。
(91)揚其波——推波助瀾。
(92)餔——食。
(93)糟——酒糟。
(94)歠——飲，音ㄔㄨㄛˋ。
(95)醨——薄酒，音ㄌㄧˊ。
(96)高舉——高尚的行為。
(97)自令放為——自己招致放逐。
(98)彈冠——彈去帽上的灰塵。
(99)察察——潔白。
(100)汶汶——污垢。汶，音ㄇㄣˊ。
(101)皓皓——潔白的樣子。
(102)白——喻貞潔。
(103)鼓枻——划船。鼓，划動。枻，音ㄧˋ，船槳。

【討論】

一、屈原作品，善於運用「象徵」的方法，請就「離騷」及「山鬼」中，舉例來說明。
二、請就漁父一篇，說明屈原、漁父二人的人生觀。
三、屈原為何要自我放逐?至死不歸?
四、屈原、漁父兩人所表現不同流俗的處世態度，對現實社會有何意義?

七　定法

韓非子

【作者】

韓非（西元前二八〇年？—西元前二三三年）是戰國末年韓的公子，和李斯一同受業於荀卿，最喜刑名法術之學。

韓非爲人口吃，然通達世故，長於文章。當時韓國國勢日弱，他曾數次上書韓王，勸其變法自強，韓王不採用。秦王讀到韓非的文章，十分仰慕其人。秦攻韓時，韓使韓非向秦王求和，秦王遂得與韓非相見。秦王想登用韓非，卻因爲李斯、姚賈等人的讒毀，韓非反而下獄，等秦王後悔，想用他時，李斯已派人送毒藥給韓非，叫他自殺在獄中了。

韓非秉承荀子性惡的觀點，提倡法治，以法作爲制裁的依據，以勢、術作爲行法者的權術，以賞罰作爲行法的後盾；慘苛無情，貴君而賤民，與儒家仁義之王道正好相反。

【題解】

本篇爲韓非子第四十三篇。定作「立」或「釋」講，旨在說明法與術的區別，以及其不可分；法爲臣下遵行的標準，術爲人主御下的方法。在韓非之前，言法者以商君爲宗，言術者以申子爲宗，而韓非則以爲他們二位對於法、術，皆未盡善。

法家除春秋時代管仲爲主的尚實派，以及韓非集法家各派之大成外，戰國時代可分爲三派：一爲尚法派，主張信賞必罰，以商鞅爲主。二爲尚術派，主張循名負責，君操其名，臣效其形，以申不害爲主。三爲尚勢派，主張秉權立威，尊君卑臣，令行禁止，以愼到爲主。

【本文】

問者曰：「申不害[1]，公孫鞅[2]，此二家之言，孰急於國[3]？」應之曰：「是不可程[4]也，人不食十日則死，大寒之隆[5]不衣亦死，謂之衣食孰急於人？則是不可一無也，皆養生之具[6]也！今申不害言術、而公孫鞅爲法。術者，因任而授官[7]，循名而責實[8]，操殺生之柄[9]，課群臣之能[10]者也，此人主之所執也[11]。法者，憲令著於官府[12]，賞罰必於民心[13]，賞存乎愼法[14]，而罰加乎姦令[15]者也，此臣之所師[16]也。君無術，則弊於上[17]；臣無法，則亂於下。此不可一無，皆帝王之具也。」

問者曰：「徒[18]術而無法，徒法而無術，其不可何哉？」對曰：「申不害，韓昭侯[19]之佐也，韓者，晉之別國[20]也，晉之故法未息[21]，而韓之新法又生，先君之令未收，而後君之令又下，申不害不擅其法(22)，不一其令(23)，則姦多。故利在故法前令，則道之；利在新法後令，則道之。故新相反，前後相悖(25)，則申不害雖十(26)使昭侯用術，而姦臣猶有所譎(27)其辭矣。故託萬乘之勁韓(28)，十七年而不至於霸王(29)者，雖用術於上，法不勤飾(30)於官之患也。公孫鞅之治秦也，設告坐(31)而責其實，連什伍(32)而同其罪，賞厚而信(33)，刑重而必(34)，是以其民用力勞而不休，逐敵危而不卻(35)，故其國富而兵強。然而無術以知姦，則以其富強也資(36)人臣而已矣。及孝公(37)、商君死，惠王即位(38)，秦法未敗也，而張儀以秦殉韓、魏(39)。惠王死，武王即位(40)，甘茂以秦殉周(41)。武王死，昭襄王即位(42)，穰侯(43)越韓、魏而東攻齊(44)，五年而秦不益一尺之地，乃成其陶邑之封；應侯(45)攻韓八年，成其汝南(46)之封。自是以來，諸用秦者(47)，皆應、穰之類也，故戰勝則大臣尊，益地則私封立(48)，主無術以知姦也。商君雖十飾(49)其法，人臣反用其資(50)，故乘強秦之資，數十年而不至於帝王者(51)，法雖勤飾於官，主無術於上之患也。」

問者曰：「主用申子之術，而官行商君之法，可乎？」對曰：「申子未盡(52)於術，商君未盡於法也。申子言：『治不踰官(53)，雖知弗言(54)。』治不踰官，謂之守職也可；知而弗言，是不謁過(55)也。人主以一國目視，故視莫明焉(56)；以一國耳聽，故聽莫聰焉。今知而弗言，則人主尚安假借矣(57)？商君之法，曰：「斬一首者，爵一級(58)；欲爲官者，爲五十石之官(59)。斬二首者，爵二級；欲爲官者，爲百石之官。」官爵之遷(60)，與斬首之功相稱(61)也。今有法，曰：斬首者，令爲醫、匠；則屋不成，而病不已(62)。夫匠者，手巧也，而醫者，齊藥(63)也，而以斬首之功爲之，則不當(64)其能。今治官者，智能也，今斬首者，勇力也，以勇力之所加(65)，而治智能之官，是以斬首之功爲醫、匠也。故曰，二子之於法術，皆未盡善也！」

【注釋】

(1)申不害—戰國鄭人，主刑名（又作「形名」）之學。韓昭侯時爲相，內修政教，外應諸侯，國治兵強，諸侯不敢侵韓。

(2)公孫鞅—戰國衛人，姓公孫，因破魏有功，封於商（陝西商縣），因號商君，又稱商鞅。好刑名法術之學，本來在魏相公孫痤門下做事，痤臨死前推薦給魏惠王，不獲任用，於是西入秦，爲秦孝公宰相，立制變法，行之十年，秦大治，道不拾遺，山無盜賊，家給人足，民勇於公戰，怯於私鬥。

(3)孰急於國—何者對國家比較切要。

(4)程—度量。

(5)大寒之隆—極寒。隆，盛。

(6)養生之具—活命的必需品。

(7)因任而授官—就其能力，授與相當的官職。任，名詞，能力。

(8)循名而責實—依其職位，考求其功績。循，依。

(9)操殺生之柄—持有生死的大權。操，持。柄，權柄，權力。

(10)課群臣之能—督核群臣的能力。課，督核。

(11)人主之所執也—人主所當持有的。

(12)憲令著於官府—官府明確地訂出法令。著，明白。

(13)賞罰必於民心—在人民心裏建立固定的賞罰標準。必，一定。

(14)賞存乎愼法—獎賞施給謹守法律的人。乎，於。愼法，謹守法律。

(15)罰加乎姦令—刑罰加在觸犯法令的人身上。姦，動詞，觸犯。

(16)師—師法，遵守。

(17)弊於上—獨居上位，爲臣下所蒙蔽。弊，通「蔽」，蒙蔽。

(18)徒—只有。

⒆韓昭侯－韓懿侯之子，哀侯之孫，周顯王十一年（西元前三五八年）即位，立八年，用申不害爲相，在位二十六年。
⒇別國－分支出來的國家。周安王廿六年（西元前三七六年），晉權臣韓虔、趙籍、魏斯三卿自立爲諸侯，滅晉而分其地。
(21)故法未息－舊法尚未廢止。
(22)擅其法－專行一法。擅，專一。
(23)一其令－統一其法令。一，統一。
(24)道－遵行。
(25)悖－音ㄅㄟˋ，違背。
(26)十－數之極也。次數之多。
(27)譎－音ㄐㄩㄝˊ，詭詐。
(28)託萬乘之勁韓－憑著有一萬輛兵車的強大韓國。託，寄託，憑藉。乘，車輛單位，每乘有四匹馬，配有騎兵（甲士）十人，步卒二十人。
(29)霸王－稱霸於諸侯。
(30)飾－整飭修正。飾，古通「飭」，整治。
(31)告坐－因不告姦而牽連入罪。五家十家爲一單位，同單位中有人犯罪而不告發，與犯人同罪。告，告姦。坐，犯法。

(32)連什伍—五家十家編爲一單位。連，編組。什，十家。伍，五家。

(33)賞厚而信—獎賞優厚而確切，絕不疏漏。商鞅變法時，恐民不信，於咸陽市南門立三丈長木，有一人能移至北門者，懸賞五十金。

(34)刑重而必—刑罰嚴重而堅決，絕不通融。秦太子駟犯禁，刑其師公孫賈割鼻，傅公子虔黥（ㄑㄧㄥˊ）面。

(35)卻—退。

(36)資—供給。

(37)孝公—名渠梁，在位二十四年，周顯王三十一年（西元前三三八年）卒。

(38)惠王即位—孝公子，名駟，周顯王三十二年（西元前三三七年）即位，用張儀爲相，在位二十七年，謚惠文。

(39)張儀以秦殉韓、魏—張儀不惜犧牲秦國，以侵略韓魏，爲一己爵祿權位打算。張儀，魏人，相秦惠王，以連橫之策遊說六國以事秦，後去秦相魏而卒。殉，爲……而犧牲。

(40)武王即位—名蕩，惠王子，周赧王五年（西元前三一〇年）即位。以甘茂爲相，在位四年。

(41)甘茂以秦殉周—甘茂使秦武王爲窺周室而犧牲。甘茂，戰國下蔡（安徽鳳台縣）人，事秦武王爲左丞相，武王欲窺周室，甘茂獻和魏伐韓之策，先攻下宜陽，武王遂至周，而卒於周。昭王立，亡奔齊。

(42)昭襄王即位—即昭王，名稷，武王異母弟，周赧王九年（西元前三〇六年）即位，以魏冉爲相，白起爲將，破諸侯，取周九鼎，國勢益盛，在位五十六年。

(43)穰侯—魏冉，秦昭王母宣太后之異父弟（即昭王母舅），三度爲秦相，周赧王二十四年（西元前三四五年）封於穰（河南鄧縣），後加封陶（山東定陶）。後昭王用范雎，免相位，卒於封邑。

(44)東攻齊—穰侯在周赧王四十五年（西元前二七〇年）利用秦力攻齊剛壽（山東鄆縣），以自廣其陶封邑。

(45)應侯—即范雎，字叔，魏人，受魏相折辱，改姓名張祿，入秦，以遠交近攻策說昭襄王爲客卿。後拜爲相，封於應（河南寶豐）號應侯。以秦韓國界交錯，力主攻韓，自周赧王五十年（西元前二六五年）起，連年攻韓。

(46)汝南—今河南汝南縣，地在汝水之南，古應城，雎封於此。

(47)用秦者—凡秦所用的人。

(48)益地則私封立—秦國若有掠奪土地，便用來封給人臣。

(49)十飾—十飭，極力整飭。

(50)反用其資—利用秦的富強作爲獵取富貴的憑藉。

(51)數十年而不至於帝王者—秦自孝公即位，經一百四十一年才併吞六國。

(52)盡—完備。

(53)治不踰官—官吏不可越職治事。治，治事。踰，越。

(54)雖知弗言—不是職守內的事，雖知亦不言。弗，不。

(55)不謁過—不以人臣有過失，而告於人主。謁，告。

(56)焉—於此。

(57)安假借矣—如何能假借人臣的耳目以爲視聽乎。

(58)斬一首爵一級－殺一敵首，賞爵一級。爵一級，益田一頃。
(59)五十石之官－任以俸米五十石的官職。石，音ㄉㄢˋ，米糧數量名詞。
(60)遷－升遷。
(61)稱－配合，音ㄔㄣˋ。
(62)已－止，痊癒。
(63)齊藥－即劑藥，配藥之意。齊，音ㄐㄧˋ。
(64)當－適合。
(65)所加－所表現的功績。

【結構】

本文章法甚佳，請整理出其綱目：

【討論】

一、請說明法、術、勢三者的關係。
二、韓非對於申子「雖知弗言」的辯駁是否正確？
三、韓非設舉醫匠爲例，說明有勇力的人不能當治官，筆法相當高妙，能否仿其技巧，自己作一實際應用？

八　諫逐客書

李　斯

【作者】

李斯，戰國楚上蔡（今河南上蔡縣）人。約生於周赧王三十一年至三十五年間（西元前二八四左右到西元前二八〇年），卒於秦二世二年（西元前二〇八年）。

李斯少時爲郡小吏，後從荀卿學帝王之術。學成以後，到西方的秦國去，本想遊說秦王，碰巧秦莊襄王去世，就投身在秦相呂不韋門下做門客。不韋很看重他，任命他做郎。李斯因此有機會遊說秦王，陳述併吞六國之策，秦王政就任命他做長史。

秦併吞六國後，始皇命李斯爲丞相，並採用其建議，廢除分封，推行郡縣，焚詩書，禁私學，以鞏固中央集權的統治。

秦二世即位後，李斯仍然做丞相，後來被趙高陷害，在咸陽被腰斬，他的三族也因而被殺。

李斯精於文字之學，曾整理古文字，創「小篆」，作爲當時的標準字體，他又工於書法，泰山、瑯琊等刻石，據傳均是他手寫的。有倉頡篇及刻石等文傳世。

【題解】

戰國時候，盛行養客的風氣，除了有名的四公子（魏的信陵君、趙的平原君、楚的春申君、齊的孟嘗君。）外，秦相呂不韋也養了三千名食客。呂不韋自殺以後，他的食客留在秦國的不少。秦始皇十年，韓國派了一位名叫鄭國的水工，到秦國來作間諜，游說秦國鑿渠灌田，欲使秦王注意內政，勞民耗財，無力東伐。後來被秦國發覺了，於是很多秦的宗室大臣向秦王進言，認為這些留在秦國的外國人都靠不住，請一律驅逐出境。李斯是客卿，也在被逐的名單之內，於是寫了這篇文章，進諫秦王，停止逐客。結果秦王政聽從他的話，解除逐客令，並恢復李斯的官職。

與本課有關的幾位秦國帝王，其在位期間如後表：

穆公（西元前六五九年－西元前六二一年）（中隔十四代）孝公（西元前三六一年－西元前三三八年）－惠文王（西元前三三七年－西元前三一一年）－武王（西元前三一〇年－西元前三〇七年）－昭王（西元前三〇六年－西元前二五一年）（中隔兩代）始皇帝（西元前二四六年－西元前二一〇年）－二世（西元前二〇九年－西元前二〇七年）－子嬰（西元前二〇六年）。

【本文】

秦宗室大臣皆言秦王曰：「諸侯人來事秦者，祇為其主游閒(1)秦耳，請一切逐客。」李斯亦在逐中。

斯乃上書曰：「臣聞吏議逐客，竊以為過矣。昔穆公(2)求士(3)，西取由余於戎(4)，東得百里奚於宛[5]，迎蹇叔於宋[6]，來邳豹、公孫支於晉[7]。此五子者，不產於秦，而穆公用之，并國二十[8]，遂霸西戎[9]。孝公用商鞅之法[10]，移風易俗，民以殷盛，國以富彊[11]，百姓樂用，諸侯親服，獲楚、魏之師[12]，舉[13]地千里，至今治彊。惠王[14]用張儀之計[15]，拔三川之地[16]，西并巴蜀[17]，北收上郡[18]，南取漢中[19]，包九夷[20]，制鄢郢[21]，東據成皐之險，割膏腴之壤[23]，遂散六國之從[24]，使之西面事秦，功施到今。昭王[25]得范雎[26]，廢穰侯，逐華陽[27]，彊公室[28]，杜私門[29]，蠶食[30]諸侯，使秦成帝業。此四君者，皆以客之功，由此觀之，客何負於秦哉！向使四君卻客而弗納[31]，疏士而弗用，是使國無富利之實，而秦無彊大名也。

今陛下致昆山之玉[32]，有隨和之寶[33]，垂明月之珠[34]，服太阿之劍[35]，乘纖離[36]之馬，建翠鳳之旗[37]，樹靈鼉之鼓[38]。此數寶者，秦不生一焉，而陛下悅之，何也？必秦國之所生然後可，則是夜光之璧[39]不飾朝廷，犀象之器[40]不爲玩好，趙衛之女[41]不充後庭，駿馬駃騠[42]不實外廄[43]，江南金錫不爲用，西蜀丹青不爲采[44]。所以飾後宮，充下陳(45)，娛心意，悅耳目者，必出於秦然後可，則是宛珠之簪(46)，傅璣之珥(47)，阿縞之衣(48)，錦繡之飾，不進於前，而隨俗雅化(49)，佳冶窈窕(50)，趙女不立於側也。夫擊甕叩缶(51)，彈箏搏髀(52)，而歌呼嗚嗚(53)快耳者，眞秦之聲也，鄭衛桑間(54)，韶虞武象(55)者，異國之樂也，今棄擊甕叩缶而就鄭衛，退(56)彈箏而取韶虞，若是者何也？快意當前，適觀(57)而已矣！今取人則不然，不問可否，不論曲直，非秦者去，爲客者逐。然則，是所重者在乎色樂珠玉，而所輕者在乎民人也，此非所以跨海內(58)、制諸侯之術也。

臣聞地廣者粟多，國大者人衆，兵彊者則士勇。是以泰山不讓(59)土壤，故能成其大；河海不擇細流，故能就其深；王者不卻衆庶(60)，故能明其德。是以地無四方，民無異國，四時充美(61)，鬼神降福，此五帝三王(62)之所以無敵也。今乃棄黔首以資敵國(63)，卻賓客以業諸侯(64)，使天下之士，退而不敢西向，裹足(65)不入秦，此所謂藉寇兵而齎盜糧(66)者也。

夫物不產於秦，可寶者多，士不產於秦，願忠者衆，今逐客以資敵國，損民以益讎，內自虛而外樹怨諸侯，求國無危，不可得也。」

秦王乃除逐客之令，復李斯官。

【注釋】

(1)遊閒—游說離間。遊，同「游」；閒，同「間」。

(2)穆公—姓嬴，名任好，為秦賢君，春秋五霸之一。

(3)士—此指賢能之人。

(4)西取由余於戎—由余，晉國人，逃亡到戎國，戎王命他出使秦國，秦穆公待他很好，於是他降了秦國，後來秦國滅戎，就是用了由余的計策。戎，本是西方的民族，此處指戎族中的一個小國。

(5)東得百里奚於宛—百里奚，字井伯，虞國人，相秦七年而霸。宛，地名，今河南南陽縣。

(6)迎蹇叔於宋—蹇叔，岐州人，曾遊說宋國，百里奚把他推薦給穆公。

(7)來丕豹、公孫支於晉—二人皆由晉至秦。來，招來。丕，音ㄆㄟˊ。

(8)并國二十—并，吞併。國二十，秦穆公吞併的二十國。當時戎族種類很多，甘肅、陝西境內的溪谷間，散居著一百多國，因為不能統一，逐漸被秦征服。

(9)霸西戎—在西戎諸國中稱霸。西戎，對西方戎族的總稱。

(10)孝公用商鞅之法—孝公，秦穆公的十五世子孫，名渠梁。商鞅，衛國人，名公孫鞅，因破魏有功，被秦王封於商，故稱商鞅。秦孝公用商鞅之議，在內政外交上作了重大的改革，使秦國既富又強。

⑾國以富彊—以，因而；彊，同「強」。
⑿獲楚、魏之師—秦孝公十年侵楚，二十二年擊魏，俘擄了兩國的軍隊。
⒀舉—攻佔、奪取。
⒁惠王—秦惠文王嬴駟，孝公之子。
⒂用張儀之計—戰國魏人，他和蘇秦都是鬼谷子的弟子。後來入秦，做惠王丞相，倡「連橫」之說，遊說六國背棄蘇秦「合縱」之約，與秦和好。
⒃拔三川之地—三川，其地有河、洛、伊三水，故名三川，秦置爲郡，約今河南省北部黃河兩岸一帶。
⒄巴蜀—秦置巴郡，轄今四川省東部；又置蜀郡，轄今四川省中部。
⒅上郡—魏國的領土，共十五縣。
⒆漢中—楚國的領土，包括今陝西南部及湖北西北部。
⒇包九夷—包，兼併。九夷，指各地的夷族；九，表示很多。
(21)制鄢郢—制，控制、威脅。鄢、郢，都是楚國的地方。
(22)成皋—今河南汜水縣，本是韓國的領土，爲通向東方的險要之地。
(23)割膏腴之壤—侵奪肥美的土地。
(24)散六國之從—從，通「縱」。蘇秦以「合從」之策，遊說齊楚燕韓趙魏六國聯合抗秦。張儀爲秦相，用計挑撥，拆散六國之「合從」。
(25)昭王—即昭襄王，名稷，惠王子，武王異母弟。

(26)范雎—魏人，昭襄王丞相，封應侯。

(27)廢穰侯，逐華陽—穰侯，姓魏名冉，其先楚人，姓羋（ㄇㄧˇ），昭王的舅舅，爲秦相，封於穰（在今河南鄧縣），稱穰侯。華陽，姓羋名戎，穰侯同父的弟弟，爲將軍，封於華陽（在今陝西商縣），稱華陽君。二人在朝擅政專權，范雎請昭王罷免了他們。

(28)彊公室—加強君王的權限。

(29)杜私門—杜，塞、絕。私門，私人的勢力。

(30)蠶食—逐步吞併，像蠶吃桑葉一般。

(31)向使四君卻客而弗納—向，先前，以前。使，假使。卻，拒絕。納，接納。

(32)致昆山之玉—致，得到。昆山，即昆岡，在于闐東北四百里，以產玉聞名。

(33)有隨和之寶—有，擁有。和，即卞和，楚國人，曾在楚山獲得璞玉，獻給楚厲王，厲王不信，說他是狂人，斬去他的左足。楚武王即位，他又去獻玉，武王也不信，斬去他的右足。楚文王即位，他拿著璞玉在荊山下面大哭，文王叫玉匠仔細研究，發現是一件珍寶，世稱「和氏之璧」。後來秦始皇得到了，就用來刻國璽。隨，國名，在今湖北隨縣。隨侯看見一大蛇受傷，便親自爲牠敷藥醫治，以後這蛇就銜了一顆珠來答謝隨侯，人稱「隨珠」。

(34)垂明月之珠—垂，掛。明月之珠，可與明月爭光之珠，即俗所謂「夜光珠」。

(35)服太阿之劍—服，佩帶。太阿，古劍名，爲吳國干將替楚王所鑄。

(36)纖離—馬名。北狄族中有一個纖犁國，產良馬，名叫「纖離」。

(37)建翠鳳之旗—建，豎立。翠鳳之旗，用翠羽製成鳳形，裝飾在旗子上。
(38)樹靈鼉之鼓—樹，架設。鼉，動物名，形似鱷魚，皮可製鼓。古人以鼉爲神異，故名「靈鼉」。
(39)夜光之璧—玉名。楚王曾獻夜光之璧於秦王。
(40)犀象之器—用犀牛角及象牙製造的器具。
(41)趙衛之女—春秋戰國時代，趙衛風俗淫靡，故稱美艷女子爲「趙衛之女」。此泛指外國美女。
(42)駃騠—音ㄐㄩㄝˊㄊㄧˊ，良馬。
(43)不實外廄—實，充滿；廄，馬舍。
(44)西蜀丹青不爲采—丹青，一種紅色顏料，產於四川。采，彩的本字。這裡作「動詞」，繪畫之意。
(45)下陳—下，君王爲上，臣妾爲下，陳，行列，這裡指侍妾。
(46)宛珠之簪—宛，地名，今南陽，產珠玉，俗稱南陽玉，可作爲髮簪的裝飾。
(47)傅璣之珥—傅，附。璣，小珠子。珥，玉耳環。傅璣之珥，綴有珠子的耳環。
(48)阿縞之衣—阿，地名，今山東東阿縣。縞，音ㄍㄠˇ，白色的絹帛。
(49)隨俗雅化—時髦高雅。
(50)佳冶窈窕—佳冶，美好艷麗；窈窕，幽靜閒雅。
(51)擊甕叩缶—甕，音ㄨㄥˋ，缶，音ㄈㄡˇ，都是口小腹大，用以盛液漿的瓦器，甕大缶小。擊、叩，都是敲打的意思。
(52)彈箏搏髀—箏，樂器，原爲五絃，秦蒙恬改爲十二絃，唐以後爲十三絃。搏，拍。髀，音ㄅㄧˋ，股骨。

(53)嗚嗚─形容秦歌聲的單調。
(54)鄭衛桑間─桑間，本是衛國地名，在今滑縣東北，此處指鄭衛兩國的「靡靡之音」。
(55)韶虞武象─韶虞，舜時的樂曲。武象，是周武王時的樂曲。
(56)退─丟棄不用。
(57)適觀─適，滿足。觀，耳目之欲。
(58)跨海內─統治天下。跨，臨。海內，四海之內，指天下。
(59)讓─推辭不容受。
(60)不卻衆庶─卻，拒絕、摒棄。庶，民衆。
(61)地無四方……充美─地無四方，土地沒有地區的分別。民無異國，人民沒有國籍的限制。四時充美，四季都充實美好。
(62)五帝三王─五帝，有多種說法，依史記爲黃帝、顓頊、帝嚳、唐堯、虞舜。三王，指夏、商、周三代開國之君，即禹、湯、文武。
(63)棄……敵國─黔首，百姓。資，助、給。
(64)業諸侯─替其他諸侯做事。業，當動詞用，做事。
(65)裹足─駐足、止步。
(66)藉……盜糧─藉通借。兵，兵器。齎，送。整句說把兵器借給敵寇，把糧食送給盜賊。

【結構】

請整理出李斯諫書的綱目，而後由老師分析李斯說服秦王的技巧。

【討論】

一、秦王下逐客令以及除逐客令的作法，你認爲如何？

二、李斯用那些理由遊說秦王，這些理由你能夠反駁嗎？

九　鴻門宴

司馬遷

【作者】

司馬遷，字子長，西漢左馮翊夏陽（今陝西韓城）人。
漢景帝中元五年（西元前一四五年）生於龍門。
武帝建元五年（西元前一三六年），十歲，隨父親司馬談到長安，從孔安國學古文，熟讀左傳、國語等史書。後又學春秋於董仲舒。
武帝元朔五年（西元前一二四年），二十二歲，回京師，補博士弟子員。
武帝元朔六年（西元前一二三年），二十三歲，任郎中。
武帝元鼎五年（西元前一一二年），三十四歲，隨武帝到隴西，登崆峒山。
武帝元鼎六年（西元前一一一年），三十五歲，隨將軍李息征四川以南，到過昆明一帶。
武帝元封元年（西元前一一〇年），三十六歲，省父於河、洛之間，受勉開始著史。
武帝元封三年（西元前一〇八年），三十八歲，繼父任太史令。
武帝太初元年（西元前一〇四年），四十二歲，與公孫卿、壺遂修訂曆法，改用夏曆，稱「太初曆」，即今「陰曆」。

武帝天漢二年（西元前九九年），四十七歲，爲李陵投降匈奴事辯解，下獄論罪。隔一年（西元前九八年），遭腐刑，忍辱寫史，無意於政治。

武帝征和二年（西元前九一年），五十五歲，史記一書大體完成。

昭帝始元元年（西元前八六年）左右卒，享年六十左右。

史記是我國「紀傳體」歷史的第一部，係以「人」爲中心，記載黃帝到漢武帝時候的歷史，所以也是「通史」之祖。史記網羅天下軼聞，據左氏、國語、世本、戰國策、楚漢春秋等書，寫成十二本紀、十表、八書、三十世家、七十列傳，共一百三十篇。「本紀」記載帝王，「表」以年代爲中心，記載各種大事，「書」記載典章制度，「世家」記載王侯將相及特殊重要人物，「列傳」記載普通名人。

「史記」的價值，主要在於司馬遷在文中所表現的悲憤「意識」。例如：孔子並非諸侯，卻列入「世家」，因爲夫子可謂「至聖」，不但是教化之主，且世代都有賢哲出。項羽非帝王，而於秦漢之際，號令天下，實爲政權所在，故列入「本紀」。伯夷叔齊居「列傳」之首，乃崇敬特立獨行之士；刺客、游俠有傳，是感嘆「知己」的難得，藉之發洩其憤慨。他自比是孔子作春秋，以修史寄託政治理想和人物評論。

司馬遷首創紀傳體爲主的史例，以後班固作漢書，范曄作後漢書，陳壽作三國志，一直到清人修明史，民國修清史稿，都是模倣這種編法。

【題解】

本文節選自史記卷七項羽本紀，是劉邦和項羽爭奪天下時，一次驚險激烈的交鋒，也是楚、漢相爭成敗的轉捩點。

劉邦和項羽皆爲秦末英雄，早年各懷雄心壯志。劉邦曾在咸陽親見秦始皇的威儀，感慨說：「大丈夫當如此也！」秦始皇出巡會稽時，項羽目睹其盛壯，也說：「彼可取而代也！」因此，秦二世元年（西元前二〇九年）陳勝、吳廣起義後，兩人即投身於抗秦行列。陳、吳敗後，劉邦和項羽各自發展勢力。秦二世三年（西元前二〇七年），項羽於鉅鹿之戰，大破秦軍，成爲諸侯上將軍，領兵四十萬，繼續西行，準備直驅咸陽。當時，劉邦已先從武關攻下秦都咸陽，子嬰出城投降。劉邦領兵十萬，暫時退軍霸上，並派兵鎮守函谷關，以防止項羽入關。項羽得知劉邦先入秦後，又「欲王關中」，大爲憤怒，先攻下函谷關；入關後，大軍駐於新豐鴻門，準備一舉擊敗劉邦，再入咸陽，一統天下。

本文敘述項羽破關而入後，楚、漢兩軍雄踞關中，龍虎爭鬥的經過。從鴻門宴前、宴時，到宴後，雙方謀士、武士，莫不竭盡心力，各爲其主，其中刀光劍影，危機四伏，歷歷如目睹，令人驚心動魄。以當時形勢而言，項羽方面氣勢淩人，殺氣騰騰，外有曹無傷告密，內有范增奇謀、項莊舞劍，幾乎一觸即發，穩操勝算。劉邦方面雖得咸陽，卻驚懼不已，即使外有項伯友善，內有張良巧計、樊噲勇猛，但敵強我弱，勢難取勝。在此形勢懸殊之下，劉邦採取「以退爲進」的策略，用謙恭的態度，委婉的言辭，來軟化項羽的憤怒，藉「如廁」脫身而去。然項羽的不忍心，如宴前欲擊而不擊，宴時可殺而不殺，宴後應追而不追，徒坐失良機，最後遭致垓下之困，自刎烏江，而謂「天亡我，非戰之罪也。」令作者無限惋惜。

【本文】

楚軍夜擊阬秦卒⑴二十餘萬人新安⑵城南，行⑶略定秦地。函谷關⑷有兵守關，不得入。又聞沛公已破咸陽，項羽大怒，使當陽君⑸等擊關。項羽遂入，至于戲西⑹。沛公軍霸上⑺，未得與項羽相見。沛公左司馬⑻曹無傷使人言於項羽曰：「沛公欲王關中⑼，使子嬰⑽爲相，珍寶盡有之。」項羽大怒，曰：「旦日⑾饗⑿士卒，爲擊破沛公軍！」當是時，項羽兵四十萬，在新豐⒀鴻門⒁，沛公兵十萬，在霸上。范增⒂說項羽曰：「沛公居山東⒃時，貪於財貨，好美姬；今入關，財物無所取，婦女無所幸；此其志不在小。吾令人望其氣⒄，皆爲龍虎，成五采，此天子氣也。急擊勿失！」

楚左尹⒅項伯⒆者，項羽季父也，素善留侯張良⒇。張良是時從沛公，項伯乃夜馳之沛公軍，私見張良，具告以事(21)，欲呼張良與俱去，曰：「毋從俱死也。」張良曰：「臣爲韓王送沛公(22)，沛公今事有急，亡去(23)不義，不可不語(24)。」良乃入，具告沛公。沛公大驚，曰：「爲之奈何？」張良曰：「誰爲大王爲此計者？」曰：「鯫生(25)說我曰：『距(26)關，毋內諸侯(27)，秦地可盡王也。』故聽之。」良曰：「料大王士卒足以當項王乎？」沛公默然，曰：「固不如也。且爲之奈何？」張良曰：「請往謂項伯，言沛公不敢背項王也。」沛公曰：「君安與項伯有故？」張良曰：「秦時與臣游，項伯殺人，臣活之；今事有急，故幸來告良。」沛公曰：「孰與君少長？」良曰：「長於臣。」沛公曰：「君爲我呼入，吾得兄事之。」張良出，要(28)項伯。項伯即入見沛公。沛公奉卮酒(29)爲壽，約爲婚姻，曰：「吾入關，秋豪(30)不敢有所近，籍吏民(31)，封府庫，而待將軍。所以遣將守關者，備他盜之出入與非常(32)也。日夜望將軍至，豈敢反乎？願伯具言臣之不敢倍德(33)也。」項伯許諾，謂沛公曰：「旦日不可不蚤(34)自來謝項王。」沛公曰：「諾。」於是項伯復夜去，至軍中，具以沛公言報項王，因言曰：「沛公不先破關中，公豈敢入乎？今人有大功而擊之，不義也。不如因善遇之。」項王許諾。

沛公旦日從百餘騎來見項王，至鴻門。謝曰：「臣與將軍戮力而攻秦，將軍戰河北，臣戰河南，然不自意能先入關破秦，得復見將軍於此。今者有小人之言，令將軍與臣有郤(35)。」項王曰：「此沛公左司馬曹無傷言之。不然，籍何以至此？」項王即日因留沛公與飲。項王、項伯東嚮坐；亞父(36)南嚮坐──亞父者，范增也；沛公北嚮坐；張良西嚮侍。范增數目(37)項王，舉所佩玉玦(38)以示之者三，項王默然不應。范增起，出，召項莊(39)，謂曰：「君王爲人不忍(40)，若(41)入前爲壽；壽畢，請以劍舞，因擊沛公於坐，殺之。不者(42)，若屬皆且爲所虜！」莊則入爲壽。壽畢，曰：「君王與沛公飲，軍中無以爲樂，請以劍舞。」項王曰：「諾。」項莊拔劍起舞。項伯亦拔劍起舞，常以身翼蔽(43)沛公。莊不得擊。

於是張良至軍門見樊噲(44)。樊噲曰：「今日之事何如？」良曰：「甚急！今者項莊拔劍舞，其意常在沛公也。」噲曰：「此迫矣！臣請入，與之同命(45)。」噲即帶劍擁盾入軍門。交戟(46)之衛士欲止不內。樊噲側其盾以撞，衛士仆地。噲遂入，披帷(47)西嚮立，瞋目(48)視項王，頭髮上指，目眦盡裂(49)。項王按劍而跽(50)曰：「客何爲者？」張良曰：「沛公之參乘(51)樊噲者也。」項王曰：「壯士！──賜之卮酒！」則與斗卮酒。噲拜謝，起，立而飲之。項王曰：「賜之彘肩(52)！」則與一生彘肩。樊噲覆其盾於地，加彘肩上，拔劍切而啗(53)之。項王曰：「壯士！能復飲乎？」樊噲曰：「臣死且不避，卮酒安足辭！夫秦王有虎狼之心，殺人如不能舉(54)，刑人如恐不勝，天下皆叛之。懷王(55)與諸將約曰：『先破秦入咸陽者王之。』今沛公先破秦入咸陽，毫毛不敢有所近，封閉宮室，還軍霸上，以待大王來。故遣將守關者，備他盜出入與非常也。勞苦而功高如此，未有封侯之賞，而聽細說(56)，欲誅有功之人，此亡秦之續耳。竊爲大王不取也！」項王未有以應，曰：「坐。」樊噲從良坐。

坐須臾，沛公起如廁，因招樊噲出。沛公已出，項王使都尉(57)陳平(58)召沛公。沛公曰：「今者出，未辭也，爲之奈何？」樊噲曰：「大行不顧細謹，大禮不辭小讓(59)。如今人方爲刀俎(60)，我爲魚肉(61)，何辭爲？」於是遂去。乃令張良留謝。良問曰：「大王來何操(62)？」曰：「我持白璧一雙，欲獻項王；玉斗(63)一雙，欲與亞父。會其怒，不敢獻。公爲我獻之。」張良曰：「謹諾。」當是時，項王軍在鴻門下，沛公軍在霸上，相去四十里。沛公則置車騎，脫身獨騎，與樊噲、夏侯嬰(64)、靳彊(65)、紀信(66)等四人持劍盾步走(67)，從酈山(68)下，道芷陽(69)間行(70)。沛公謂張良曰：「從此道至吾軍，不過二十里耳。度我至軍中，公乃入。」

沛公已去，間至軍中(71)，張良入謝，曰：「沛公不勝桮杓(72)，不能辭。謹使臣良奉白璧一雙，再拜獻大王足下；玉斗一雙，再拜奉大將軍足下。」項王曰：「沛公安在？」良曰：「聞大王有意督過(73)之，脫身獨去，已至軍矣。」項王則受璧，置之坐上。亞父受玉斗，置之地，拔劍撞而破之，曰：「唉！豎子(74)不足與謀！奪項王天下者，必沛公也。吾屬今為之虜矣！」

沛公至軍，立誅殺曹無傷。居數日，項羽引兵西屠咸陽，殺秦降王子嬰，燒秦宮室，火三月不滅，收其貨寶婦女而東。人或說項王曰：「關中阻山河四塞(75)，地肥饒，可都以霸(76)。」項王見秦宮室，皆以(77)燒殘破，又心懷思欲東歸，曰：「富貴不歸故鄉，如衣繡夜行，誰知之者！」說者曰：「人言楚人沐猴而冠耳(78)，果然。」項王聞之，烹說者。

【注釋】

(1)秦卒—秦降將章邯、司馬欣所率領的士兵。
(2)新安—古邑名，在今河南省澠池縣東。
(3)行—前進。
(4)函谷關—在今河南省靈寶縣西南，爲東方入秦的要道。關城在谷中，深險如函，故名。當時劉邦已先入關破秦，故遣將守關。
(5)當陽君—即英布。英布坐秦法被黥，史稱黥布。秦末從項羽破秦軍，封爲九江王。楚漢相爭時，降漢，封爲淮南王。
(6)戲西—戲水之西，在今陝西省臨潼縣東。
(7)軍霸上—軍，駐紮，霸上，即霸水之西的白鹿原，在今陝西省西安市東。
(8)左司馬—官名，主管軍政。
(9)欲王關中—想要稱王於關中。關中是秦的心臟地區，因四周有關，故稱關中。當初楚懷王曾與諸將約定「先入關中者王之」。
(10)子嬰—秦扶蘇子。二世三年（西元前二〇七年）八月，趙高殺胡亥，立子嬰爲三世，在位四十六日。十月，劉邦入關破咸陽，子嬰投降。
(11)旦日—明天。
(12)饗—以酒食犒賞。
(13)新豐—秦時名酈邑，漢時改爲新豐縣。在今陝西省臨潼縣東。

⒁鴻門—山坡名，在新豐縣東，今名項王營。
⒂范增—居鄛縣人，年七十，好奇計，秦末投效項梁。項梁死後，范增成為項羽主要謀士，被尊為亞父。
⒃山東—崤山以東。泛指六國之地。
⒄望其氣—觀測劉邦周遭的雲氣。秦漢方士，用此以預測人事吉凶禍福。
⒅左尹—楚國官名，令尹的副職。
⒆項伯—名纏，字伯，項羽叔父。因屢助劉邦有功，被劉邦封為射陽侯，賜姓劉。
⒇留侯張良—張良字子房，劉邦主要謀士。劉邦稱帝後，封為留侯。
(21)具告以事—指項羽將攻打沛公之事。
(22)臣為韓王送沛公—韓王，名成。史記留侯世家：「項梁使良求韓成，立以為王，以良為申徒。良引兵從沛公下韓十餘城，沛公乃令韓王成留守陽翟，與良俱南攻，下宛，西入武關。」此張良自述往事，說明自己追隨劉邦的原因。
(23)亡去—逃走。
(24)語—告知。
(25)鯫生—淺陋無知的小人。鯫，雜色小魚。
(26)距—同「拒」，守也。
(27)內諸侯—內同「納」。諸侯，指其他起兵攻秦的人。
(28)要—同「邀」。邀請。

(29)卮酒—一杯酒。卮，酒杯。

(30)秋豪—指細微東西。豪，同「毫」。

(31)籍吏民—登記官吏人民於簿籍上。

(32)非常—意外變故。

(33)倍德—背信棄義。

(34)蚤—同「早」。

(35)郤—同「隙」。嫌隙。

(36)亞父—此項羽對范增的尊稱，謂受尊敬僅次於自己父親。亞，次也。

(37)數目—屢次以目示意。

(38)玉玦—半環形玉珮。范增舉玉珮示意，要項羽下決心除去劉邦。

(39)項莊—項羽堂弟。

(40)不忍—不忍心。謂項羽心腸軟弱。

(41)若—你。

(42)不者—否則。不然的話。不，同「否」。

(43)翼蔽—掩護，如鳥張翼遮住。

(44)樊噲—沛人，以屠狗爲業，與劉邦在沛縣起義反秦，屢立戰功，封武陽侯。

(45)與之同命—和項莊拚命。

(46)交戟—持戟交叉。戟，古兵器。
(47)披帷—掀開帳幕。
(48)瞋目—張大眼睛。表示憤怒。
(49)目眦盡裂—眼眶破裂。形容盛怒。眦，音ㄗˋ。
(50)跽—跪起。古人席地而坐，起身則膝著地如跪。
(51)參乘—即驂乘，車右陪乘的人，相當於衛士。
(52)彘肩—豬腿。
(53)啗—大口呑吃。同「啖」，音ㄉㄢˋ。
(54)舉—盡也。
(55)懷王—名心，是戰國時楚懷王的孫子，項梁立他爲懷王。破秦後，項羽尊之爲義帝。
(56)細說—小人的讒言。
(57)都尉—武官名。
(58)陳平—陽武人，當時在項羽部下任都尉。第二年離楚歸漢，屢獻奇計，立下大功，官至丞相。
(59)大行不顧細謹二句—謂成大事者不必拘泥小節。
(60)刀俎—刀和砧板。
(61)我爲魚肉—喻處於任人宰割的地位。
(62)來何操—來時帶了什麼禮物。操，執持、携帶。

⒀玉斗—玉製的酒器。

⒁夏侯嬰—沛人，劉邦好友，從劉邦起義，因功封汝陰侯，號滕公。

⒂靳彊—曲沃人，從劉邦擊項羽有功，後封爲汾陽侯。

⒃紀信—劉邦部將。後項羽圍劉邦於滎陽時，紀信扮成劉邦以誑楚軍，劉邦因而脫險，紀信也因此被項羽燒死。

⒄步走—徒步逃跑。

⒅酈山—即驪山，在鴻門西。

⒆芷陽—秦縣名，漢時改稱霸陵，在今陝西西安市東。

⒇間行—抄小路走。

(71)間至軍中—由小路到達漢軍營中。

(72)不勝桮杓—不能多喝酒，已經醉了。桮杓，酒器，此當做酒的代稱。桮，同「杯」。

(73)督過—責備怪罪。

(74)豎子—小子。此明斥項莊，暗指項羽。

(75)四塞—四面有關塞屏障。關中東有函谷關，南有武關，西有散關，北有蕭關。

(76)可都爲霸—可以建立國都，成就霸業。

(77)以—同「已」。

(78)沐猴而冠耳—此句譏笑項羽如獼猴戴帽，虛具儀表，不能成就大事。

【討論】

一、請就本文說明項羽失敗的原因。

二、鴻門宴中，劉邦得以安然返回漢軍營中的原因有哪些？

三、項羽在入關前，坑殺秦卒二十餘萬人；入關後又西屠咸陽、殺子嬰，殘暴無比。但何以在鴻門宴中對劉邦如此仁慈？

四、項羽曾說「彼可取而代也」，但舉兵據咸陽時，卻說：「富貴不歸故鄉，如衣繡夜行，誰知之者！」其中原因何在？

五、鴻門宴中，曹無傷、范增、項莊和項伯、張良、樊噲六人，他們的功過如何？請舉例說明。

一〇　蘭亭集序

王羲之

【作者】

王羲之，字逸少，瑯琊臨沂（山東今縣）人，生於東晉元帝太興四年（西元三二一年），死於孝武帝太元四年（西元三七九年），年五十九。

王羲之自幼聰明過人，博學而精於書法，所以很早就成名。曾做過秘書郎、征西將軍參軍、寧遠將軍、江州刺史等官，由於他曾做過右將軍，所以後人稱他爲「王右軍」。後來做會稽郡內史，勤政愛民，不事鑽營。穆帝永和十一年（西元三五五年），三十五歲，施政與揚州刺史王述不和，稱病歸官，到父母墓前發誓不再復出。從此以後，王羲之遊遍名山勝水，結交方外名士，逍遙自在。

相傳王羲之少年時，在池邊學書法，池水盡黑。他的書法起先學衛夫人（名鑠，字茂猗，汝陰太守李矩的妻子），後來又觀摹古今碑帖，精心研寫，終於成爲草隸兩體的名家，被後世推爲「書聖」。比較有名的有「蘭亭集序」、「樂毅傳」、「黃庭經」等篇。

【題解】

蘭亭，在今浙江紹興縣西南二十七里的蘭渚。東晉穆帝永和九年（西元三五三年）陰曆三月三日，王羲之與當時名士及王家子弟共四十一人，在蘭亭舉行修禊之儀式（參考注釋⑵），本文即是那次集會的序文。他書寫此序時用蠶繭紙，鼠鬚筆，筆力遒健，是他書法的代表作。後世輾轉臨摹，成爲有名的字帖。「序」通常是指「書序」或「自序」，這篇「序」則是記述集會的狀況及心懷的。

東晉穆帝時期，清談的風氣越來越盛，蘭亭這一次的禊會，便是清談家的一次大集會，從這篇序裏，我們多少也可以看出清談名士對人生的看法與態度。

【本文】

永和九年，歲在癸丑，暮春之初，會於會稽山陰⑴之蘭亭，修禊事⑵也，群賢畢⑶至，少長咸集。此地有崇山峻嶺，茂林修⑷竹，又有清流激湍⑸，映帶左右⑹，引以爲流觴曲水⑺，列坐其次，雖無絲竹管絃⑻之盛，一觴一詠⑼，亦足以暢敘幽情。是日也，天朗氣清，惠風⑽和暢，仰觀宇宙⑾之大，俯察品類⑿之盛，所以游目騁懷⒀，足以極視聽之娛，信⒁可樂也。

夫人之相與⒂，俯仰一世⒃，或⒄取諸懷抱，晤言一室之內；或因寄所託⒅，放浪形骸之外⒆。雖趣舍萬殊，靜躁不同⒇；當其欣於所遇，暫得於己(21)，快然自足，曾(22)

不知老之將至；及其所之(23)既倦，情隨事遷，感慨係之矣。向(24)之所欣，俛仰之間，已爲陳跡，猶不能不以之興懷，況修短隨化，終期於盡(25)？古人云：「死生亦大矣(26)。」豈不痛哉！

每覽昔人興感之由，若合一契(27)；未嘗不臨文嗟悼(28)，不能喻(29)之於懷。固知一死生爲虛誕(30)，齊彭殤爲妄作(31)。後之視今，亦猶今之視昔(32)，悲夫！故列敍時人，錄其所述(33)，雖世殊事異，所以興懷，其致一也(34)，後之覽者，亦將有感於斯文。

【注釋】

(1)會稽山陰—會稽，郡名，在今浙江西部。山陰，會稽郡屬縣，現在併入紹興縣。

(2)修禊事—修，舉行，禊，音ㄒㄧˋ，清潔。修禊事，是中國古代的一種風俗，每年陰曆三月上旬巳日（稱上巳日），在水邊灌洗，用以驅除不祥。後來此種風俗逐漸消失，但文人仍常在這一天會集水邊，飲酒作詩。

(3)畢—全部。

(4)修—長。

(5)激湍—沖激奮躍的急流。湍，音ㄊㄨㄢ，急流。

(6)映帶左右—映，反射出陽光。帶，環繞。是說水流反射出陽光，映圍繞在亭子四周。

(7)流觴曲水—觴，喝酒的器具。流觴曲水，古代一種飲酒的遊戲。把流水引進來，曲繞成小水渠，賓客依水渠而坐；把酒杯放在水的上游，讓它隨波而下，它停在那裡，坐在該處的人就要喝下這杯酒。

(8)絲竹管絃—樂器的總稱。中國古代的樂器用金、石、絲、竹、匏、土、革、木八種材料來做，稱為「八音」。絲竹是其中兩種。樂器作成後，又有不同的形狀，管和絃是其中兩項；像笛笙等等，是管狀的稱為管樂，琴瑟之類，以絃為主的，稱為絃樂。

(9)一觴一詠—喝一杯酒，吟一首詩（自作自吟）。

(10)惠風—溫和的風。

(11)宇宙—本來上下四方叫「宇」，古往今來叫「宙」，「宇宙」是指上下古今，這裡光指空間而言。

(12)品類—這裡指萬物。

(13)所以游目騁懷—所以，用來。游目，放眼觀覽。騁懷，開懷馳遊。

(14)信—實在。

(15)與—交往。

(16)俯仰一世—在短暫的一生當中。俯仰，比喻人生短暫，一俯一仰之間即已過去。

(17)或—有人。

(18)因寄所託—因，隨著。寄，指精神性情。因寄所託，隨著精神所依託的所在。

(19)放浪形骸之外—脫離形骸的束縛，逍遙自在。放浪，無拘無束。

⒇趣舍萬殊，靜躁不同—指各人的志趣都不相同。趣，通「趨」，追求，往赴。舍，通「捨」，離開。躁，指動的活動。

㉑欣其所遇，暫得於己—對自己的居處方式，感到歡欣，內心獲得暫時的快慰。

㉒曾—乃。

㉓所之—指所追求之境地。之，往，追求。

㉔向—以前。

㉕修短隨化，終期於盡—人類壽命的長短，隨天地造化的安排，人無法去左右，但不管長壽短壽，終歸是要死亡的。

㉖死生亦大矣—莊子德充符引孔子的話說：「死生亦大矣，而不得與之變。」指生死乃是大事，其中的變化並不是人力所能干預的。

㉗若合一契—好像都合於同一張契約的規定似的，比喻情況相互吻合。

㉘臨文嗟悼—臨，面對。嗟，歎息。悼，悲傷。

㉙喻—本是「明白」，這裡指看得開。

㉚固知一死生爲虛誕—我就知道把生死看成一樣原來是虛妄誇誕的說法。表示自己做不到。固，原是「本來」之意，這樣「就」，有根據上述原因而再次肯定已經知道的結果的意思。一，是看成同等地位的意思；一生死，是把生死看成同等的地位，都只是萬物變化的一個環節而已，並不是生死爲一體的意思。這是莊子的人生觀。

(31)齊彭殤爲妄作—把長壽和短命同等看待也是無稽之談。也是表示自己做不到之意。彭，彭祖，古代的長壽者，相傳活了八百歲還不死。殤，短命早死。齊，與「一」同意，也是看成同等地位的意思。齊彭殤也是莊子的人生觀。

(32)後之視今……視昔—後人看我們今天感傷的樣子，就好像我們今天在看古人感傷的樣子一樣。表示生死壽夭的問題，從古到今，一直到以後，都同樣是讓人看不開的。

(33)列敍……所述—列敍參加集會的人，並錄下他們在西水所吟作的詩。

(34)其致一也—它們感傷的原因是一樣的。致，原因。

【討論】

一、王羲之何以在盛會之時，忽然興起人生短促的感慨呢？

二、既然感慨人生短促，又不贊成莊子「一生死」「齊壽夭」的看法，那麼他們認爲人生當如何度過呢？這兩種人生觀又有什麼不同？

一一　歸去來辭並序

陶潛

【作者】

陶潛，字淵明，自號五柳先生，世稱靖節先生，晉潯陽柴桑（今江西省九江縣）栗里人。約生於晉咸安二年，卒於宋義熙十二年（西元三七二－四二七年）。其曾祖陶侃爲東晉名將，祖父及父親曾做過太守，外祖孟嘉做過征西大將軍，都是胸懷廣闊品格高尚的人物。他受了這種環境影響，而有了卓然獨立的人生觀。曾做過參軍，及二個多月的彭澤縣令，因不滿督察人的官架而辭職，曰：「吾不能爲五斗米折腰，拳拳事鄉里小人！」從此過著農民生活。

陶潛是魏晉思想的淨化者，其哲學文藝及人生觀，都是浪漫的自然主義的最高表現。其思想兼有儒道佛三家的精華而去惡劣的習氣：有律己嚴正肯負責任的儒家精神，而不爲虛僞的禮法與破碎的經文所陷；有老莊清淨逍遙的境界，而不與頹廢荒唐的清談名士同流；有佛家的空觀與慈愛，而不沾染下流的迷信色彩。其作品，在作風上是承受魏晉一派的浪漫主義，但在表現上，卻是帶著革命的態度：洗淨了駢詞儷句的惡習而返於自然平淡；丟棄滿紙仙人高士的歌頌眷戀，而入於山水田園的寄託、以及脫去滿篇談玄說理的歌訣偈語，而敘述日常的瑣事人情。

陶淵明是有名的田園詩人，其作品又可從他三十四歲辭去彭澤令那年爲界，分作前後兩期。前期對當代政治社會，雖已感到厭惡，但其人生態度尚未篤定，在其詩裡，還時時流露出憤恨和熱情，飲酒的歌詠，仍極少見。（參考第一冊第三課〔附錄〕「詠荊軻」詩。）同時，在經曲阿、阻風於規林等詩，也表現出爲著衣食，不得不到社會上奔波的精神痛苦，而有了田園山水之想。後期心境平靜了，作品的藝術價值也最高。「問君何能爾？心遠地自偏。」（飲酒）是後期心境的告白。「居止次城邑，逍遙自閑止。坐止高蔭下，步止蓽門裏。好味止園葵，大歡止稚子。」（止酒）是後期生活的寫照。由苦悶的世界，進入逍遙自適的世界，於是美麗的自然，酒與詩文，成爲他靈魂的寄託，歸田園居、飲酒等詩，不但提高了魏晉浪漫文學的地位，也建立了田園文學的典型。

【題解】

本文原題「歸去來兮」，南朝梁昭明太子蕭統的陶淵明傳及文選，刪去「兮」字，稱「歸去來」，後來又加上文體名「辭」，乃合稱「歸去來辭」。

本文係東晉安帝義熙元年（西元四〇五年）十一月，作者三十四歲，辭去彭澤縣令時所作。敍說他天性愛好自然，在世俗中打滾，反而違背天性，痛苦憂悶，所以他要辭去官職，歸隱山林，徜徉在自己的逍遙世界裏。文中的每一字每一句，全都是眞性情，眞心境，沒有半點虛僞，不像那些身在草野而迷戀權位的僞君子的口是心非，也沒有一點故鳴清高、沽名釣譽的做作。

【本文】

余家貧，耕植不足以自給。幼稚⑴盈室，缾無儲粟⑵。生生所資⑶，未見其術。親故多勸余爲長吏⑷，脫然有懷⑸，求之靡途。會有四方之事⑹，諸侯⑺以惠愛爲德；家叔⑻以余貧苦，遂見用於小邑。於時風波未靜⑼，心憚遠役。彭澤⑽去家百里，公田之利，足以爲酒，故便求之。及少日，眷然有歸與之情⑾。何則？質性自然，非矯厲所得⑿；飢凍雖切，違己交病⒀。嘗從人事，皆口腹自役⒁。於是悵然慷慨，深愧平生之志。猶望一稔⒂，當斂裳宵逝⒃。尋程氏妹⒄喪于武昌，情在駿奔⒅，自免去職。仲秋至冬，在官八十餘日。因事順心，命篇曰歸去來兮。乙巳歲十一月也。

歸去來兮⒆，田園將蕪胡⒇不歸？既自以心爲形役(21)，奚惆悵(22)而獨悲？悟已往之不諫(23)，知來者之可追(24)，實迷途其未遠，覺今是而昨非。

舟搖搖以輕颺(25)，風飄飄而吹衣，問征夫(26)以前路，恨晨光之熹微(27)。乃瞻衡宇(28)，載欣載奔(29)。僮僕歡迎，稚子候門，三徑就荒(30)，松菊猶存。攜幼入室，有酒盈罇(31)，引壺觴(32)以自酌，眄庭柯以怡顏(33)，倚南窗以寄傲(34)，審容膝之易安(35)。園日涉以成趣

⑶，門雖設而常關⑶，策扶老以流憩⑶，時矯首而遐觀⑶。雲無心以出岫⑷，鳥倦飛而知還，景翳翳以將入⑷，撫孤松而盤桓⑷。

歸去來兮，請息交以絕游，世與我而相遺⑷，復駕言兮焉求⑷？悅親戚之情話，樂琴書以消憂，農人告余以春及，將有事乎西疇⑷。或命巾車，或棹孤舟⑷，既窈窕以尋壑⑷，亦崎嶇而經丘⑷。木欣欣以向榮，泉涓涓⑷而始流，羨萬物之得時，感吾生之行休⑸。

已矣乎⑸！寓形宇內復幾時⑸？曷不委心任去留⑸？胡為遑遑欲何之⑸？富貴非吾願，帝鄉⑸不可期。懷良辰以孤往⑸，或植杖而耘耔⑸，登東皋以舒嘯⑸，臨清流而賦詩。聊乘化以歸盡⑸，樂夫天命⑹復奚⑹疑？

【注釋】

⑴幼稚—年幼之人。此指作者的兒子。作者三十四歲為彭澤令，據其辭官第二年所作的責子詩，當時已有儼、俟、份、佚、佟五子。

(2)缾無儲粟—米缸裏沒有存糧。缾，同「瓶」，汲水或盛酒的容器。作者用以儲粟，可想見其貧困。粟，糧食的通稱。

(3)生生所資—賴以維生的方法。即生計。生生，維持生活。資，憑藉。

(4)長吏—縣令或縣長屬下的高級官吏，多指縣丞、縣尉。此泛指官吏。

(5)脫然有懷—欣然有出仕的心。

(6)四方之事—諸侯的事。此指作者爲建威將軍參軍，奉使入都的事情。四方，指諸侯。

(7)諸侯—指建威將軍劉懷肅。

(8)家叔—指陶弘。時爲長沙公。一說指陶夔，時任太常卿。

(9)風波未靜—局勢依然動盪不安。

(10)彭澤—縣名。在今江西省湖口縣東。

(11)眷然有歸與之情—心中眷念故園，有了辭官回去的念頭。眷然，有所懷念的樣子。

(12)非矯厲所得—不是矯揉勉強所能辦到。

(13)交病—更加痛苦。

(14)嘗從人事二句—曾經跟人做事，都是爲了衣食而驅策自己。

(15)一稔—一年。稔，音ㄖㄣˇ，穀物成熟。

(16)斂裳宵逝—收拾行裝，連夜離開。

(17)程氏妹—嫁與程氏的妹妹。生平不詳。集中有祭程氏妹文。

⑱駿奔－迅速奔赴。

⑲歸去來兮－回家去吧。來、兮兩字皆語助詞。

⑳胡－爲何。

㉑心爲形役－心靈受形體所役使。心在自然，而不能自主，陪著形體在世俗中居留。

㉒奚惆悵－何必懊惱失望。奚，何。

㉓不諫－來不及改正。諫，糾正過失。

㉔可追－可以補救。追，補救。

㉕颺－音一尢ˊ，搖盪。

㉖征夫－行人。

㉗恨晨光之熹微－恨早晨的天光不能亮些，指天色太暗，無法早些看到家園。熹，亮光；微，微弱。

㉘乃瞻衡宇－一看到門欄和房屋。乃，才。衡，門欄，門外的遮欄。宇，房屋。

㉙載欣載奔－邊高興邊奔跑。

㉚三徑就荒－隱居處都快荒廢了。三徑，指隱居的處所。漢朝蔣詡不滿王莽篡位，辭官歸隱，閉門不出，只在屋前竹下開三徑，讓故友羊仲、求仲前來遊訪。就，將要，接近。

㉛盈罇－盈，滿。罇，酒罇。

㉜引壺觴－引，拿。觴，音尸尢，酒杯。

㉝眄庭柯以怡顏－看著庭中的樹而露出歡欣的面容。眄，音ㄇ一ㄢˇ，斜視。柯，樹枝。

(34)寄傲—寄託豪放不拘的本性。
(35)審容膝之易安—知道生活在狹窄的居處容易得到安適。審，知曉。容膝，指居室狹窄。
(36)園日涉以成趣—每日在園裏遊賞，已經成了一種樂趣。涉，到，臨。
(37)門雖設而常關—指終日閉門外出，與自然為伍。
(38)策扶老以流憩—扶著手杖隨處玩遊休息。策，扶。扶老，手杖的別名。
(39)時矯首而遐觀—時常抬頭遠望風景。矯首，抬頭。遐，遠。
(40)雲無心以出岫—比喻以前自己像雲被吹出山洞一般，心不甘情不願地在塵俗中生活。岫，音ㄒㄧㄡˋ，山洞。
(41)景翳翳以將入—夕陽陰暗，快要沈沒了。景，日光。翳翳，陰暗。入，沉沒。
(42)盤桓—徘徊留連。
(43)相遺—相遺棄，指本性不同於流俗。
(44)復駕言兮焉求—還乘車出去求什麼？駕，乘車。言，助詞，無義。焉，何。
(45)有事乎西疇—在西邊田裏工作。有事，指耕作。疇，田地。
(46)或命巾車，或棹孤舟—或，有時候。命，駕駛。巾車，有圍篷的車。棹，音ㄓㄠˋ，划船。
(47)窈窕以尋壑—探訪幽深的溪谷。窈窕，幽深。壑，溪谷。
(48)崎嶇而經丘—經過不平的山路。
(49)涓涓—水流不絕。

(50)行休－與「行止」相同，就是行迹的意思。

(51)已矣乎－算了吧。

(52)寓形宇內復幾時－在天地間活多久？寓，寄託。

(53)曷不委心任去留－何不把身軀託付給自己的心，任由心去決定去留呢？曷，何。委，託付。

(54)胡爲遑遑欲何之－爲何遑遑不安，到底要上哪兒去呢？胡，何。遑遑，不安。之，往。

(55)帝鄉－神帝居住的地方，指仙境。

(56)懷良辰以孤往－想起好日子就獨自去遊玩。

(57)植杖而耘耔－放開拐杖，在田裏除草培苗。植，立。植杖，把拐杖立在地上。耘，除草。耔，培植幼苗。

(58)登東皐以舒嘯－登上東邊的高地悠然長嘯。皐，高地。舒，緩，長。

(59)聊乘化以歸盡－聊且隨著大自然的移轉走完人生的路程。聊，暫且。化，大自然的移轉變易。盡，指死亡。

(60)天命－天生所具有的內在質性，以及所遇到的外在環境。

(61)奚－何。

【結構】

一、請列出本文四段大綱，並略微分析其結構。

二、請依後表，把二三段的細目整理出來：

回家前　到家時　回家後

景

物

行徑　個人

交往

【討論】

一、從〔結構〕的整理，能否發現陶淵明歸田以後享受了何種樂趣？

二、要從享受俸祿的世界轉入自力耕生的環境，非常不容易，作者何以能做到？

三、本課與桃花源記作者同爲陶淵明，請把兩篇的旨趣作個比較。

「詞」簡介

唐人以詩入樂，稱樂府詩，但詩句整齊，樂譜參差，所以加了泛聲、襯字，時間一久，自然感到不便，久而久之，依樂譜的音律，造出長短句的新詞，以便歌唱，這就是詞的開始。詞從唐代興起後，流衍於五代，到了兩宋，盛極一時，成爲文壇的主流。

由於詞是按樂曲塡寫的，所以也叫「曲子詞」，又因爲詞是從樂府詩演變而來的新體詩，所以一名「詩餘」，同時因句法長短不齊，也稱「長短句」。

作詞的人要依照樂曲塡寫，所以有了「詞牌」和「詞律」的名稱。詞牌，就像現在所說的歌譜，也叫「詞調」，漁歌子、憶江南、更漏子、菩薩蠻、蝶戀花、虞美人、相見歡、浪淘沙……等，都是詞牌名。而「詞律」，指的是每闋每句都有一定的字數，每句內幾個字，以及平仄，押韻的位置，都作嚴格規定。作詞的人必須按譜塡詞，不能違反詞律，所以俗稱作詞爲「塡詞」。

早期的詞，詞牌和詞意相吻合，詞牌就是詞的題目，像白居易的憶江南，就是追憶江南的風光。可是後來詞意逐漸和詞牌脫節，往往要在詞牌底下另加詞題，像蘇軾有一闋念奴嬌，下題「赤壁懷古」，就是藉憑弔古蹟抒寫懷抱，而跟詞牌無關。

宋人將詞牌區別爲小令（或稱令）、中調（或稱近、引）、長調（或稱慢），後世就沿用這些稱呼。清人毛先舒更明確地指出「五十八字以內爲小令，五十九字至九十字爲中調，九十一字以外者爲長調。」

而中、晚唐、五代及北宋初年的詞，只有小令；到了宋仁宗之世，慢詞才產生，以後長調的作品才漸漸多起來。

至於詞一首稱爲「一闋」，則和音樂有關；「闋」是樂曲終止的意思。詞又有分「片」的情形，像漁家傲、天仙子、清平樂，都分成上、下兩片；也有不分片的，像漁歌子、憶江南等。

一二　詞選上（唐五代詞、北宋詞㈠）

說明：唐末五代詞，眞正創立風格的有三：一是溫庭筠的豔麗。二是韋莊（西蜀人）、馮延巳（南唐人）的秀麗。三是李後主（南唐）的淒麗。這一課的詞，主要就是依這個分別而來選的。

北宋是詞的成熟時期，有幾個階段的演變，這一課所選的，是北宋初期的詞。這一時期的詞，基本上是延續了五代的遺風，婉約典雅，晏殊、宋祁、歐陽修等人風格近韋莊、馮延巳，清新秀麗；晏幾道則近李後主，哀淒濃鬱。

張先是宋詞轉變的開始，慢慢把詞轉向通俗，且加入艷情。

范仲淹婉約中帶豪放，既承繼前代遺風，又隱伏蘇軾、辛棄疾豪放一派之因子。

㈠憶江南　**白居易**

江南好，風景舊曾諳。日出江花紅勝火，春來江水綠如藍，能不憶江南？

㈡更漏子　**溫庭筠**

玉鑪香，紅蠟淚。偏照畫室秋思。眉翠薄，鬢雲殘。夜長衾枕寒。　梧桐樹，三更雨。不道離情正苦。一葉葉，一聲聲。空階滴到明。

㈢菩薩蠻　**韋　莊**

人人盡說江南好，遊人只合江南老。春水碧於天，畫船聽雨眠。　壚邊人似月，皓腕凝霜雪。未老莫還鄉，還鄉須斷腸。

(四)**蝶戀花**　**馮延巳**

幾日行雲何處去？忘卻歸來，不道春將暮。百草千花寒食路。香車繫在誰家樹？　淚眼倚樓頻獨語。雙燕來時，陌上相逢否？撩亂春愁如柳絮，悠悠夢裏無尋處。

(五)**虞美人**　**李　煜**

春花秋月何時了？往事知多少！小樓昨夜又東風，故國不堪回首月明中！　雕闌玉砌應猶在，只是朱顏改；問君能有幾多愁？恰似一江春水向東流！

(六)**浪淘沙**　**李　煜**

簾外雨潺潺，春意闌珊。羅衾不耐五更寒。夢裏不知身是客，一晌貪歡。　獨自莫憑欄，無限江山。別時容易見時難。流水落花春去也，天上人間。

(七)**蘇幕遮**　**范仲淹**

碧雲天，黃葉地。秋色連波，波上寒煙翠。山映斜陽天接水。芳草無情，更在斜陽外。　黯鄉魂，追旅思。夜夜除非、好夢留人睡。明月高樓休獨倚。酒入愁腸，化作相思淚。

(八)**浣溪沙**　**晏　殊**

一曲新詞酒一杯。去年天氣舊亭臺。夕陽西下幾時回？　無可奈何花落去，似曾相識燕歸來。小園香徑獨徘徊。

(九)**天仙子**　**時為嘉禾小倅，以病眠不赴府會**　**張　先**

水調數聲持酒聽，午醉醒來愁未醒。送春春去幾時回？臨晚鏡，傷流景，往事後期空記省。　沙上竝禽池上暝。雲破月來花弄影。重重簾幕密遮燈。風不定，人初靜，明日落紅應滿徑。

(十)玉樓春　宋祁

東城漸覺風光好，縠皺波紋迎客棹。綠楊煙外曉雲輕，紅杏枝頭春意鬧。浮生長恨歡娛少，肯愛千金輕一笑？爲君持酒勸斜陽，且向花間留晚照。

(十一)踏莎行　歐陽修

候館梅殘，溪橋柳細。草薰風暖搖征轡。離愁漸遠漸無窮，迢迢不斷如春水。寸寸柔腸，盈盈粉淚。樓高莫近危闌倚。平蕪盡處是春山，行人更在春山外。

(十二)鷓鴣天　晏幾道

翠袖殷勤捧玉鍾，當年拚卻醉顏紅。舞低楊柳樓心月，歌盡桃花扇底風。從別後，憶相逢，幾回魂夢與君同。今宵賸把銀釭照，猶恐相逢是夢中。

(一)憶江南　白居易

【作者】

白居易，字樂天，原籍太原（今山西省太原縣），後徙下邽（今陝西省渭南縣）。

唐代宗大曆七年（西元七七二年），生於鄭州新鄭縣。

德宗貞元三年（西元七八七年），十六歲，始至長安謁顧況，作「賦得古原草送別」。

貞元十六年（西元八〇〇年），二十九歲，進士及第。

貞元十九年（西元八〇三年），三十二歲，參加「拔萃」科考試，入甲等，授秘書省校書郎。

憲宗元和元年（西元八〇六年），三十五歲，才識兼茂明於體用科及第，除盩厔（今陝西盩厔縣）縣尉，作長恨歌。

元和二年（西元八〇七年），三十六歲，授翰林學士。

元和三年（西元八〇八年），三十七歲，授左拾遺。

元和九年（西元八一四年），四十三歲，召至長安授太子左贊善。

元和十年（西元八一五年），四十四歲，宰相武元衡被刺，上疏請捕賊，以越權之罪貶江州（今江西九江）司馬。

元和十一年（西元八一六年），四十五歲，作「琵琶行」。

元和十二年（西元八一七年），四十六歲，長兄幼文歿於浮梁，築草堂於廬山。

元和十三年（西元八一八年），四十七歲，除忠州（四川忠縣）刺史。

元和十五年（西元八二〇年），四十九歲，自忠州召還，拜尚書司門員外郎，更主客司郎中，除知制誥。

穆宗長慶元年（西元八二一年），五十歲，加朝散大夫，除中書舍人，知制誥。

長慶二年（西元八二二年），五十一歲，求外任，七月除杭州刺史。

長慶四年（西元八二四年），五十三歲，杭州刺史任期滿，除太子左庶子，分司東都洛陽。白氏長慶集成。

文宗太和元年（西元八二八年），五十七歲，除刑部侍郎。

太和六年（西元八三二年），六十一歲，結交香山寺僧，稱香山居士。

文宗開成元年（西元八三六年），六十五歲，授太子少傅，分司洛陽，進封馮翊縣侯。

武宗會昌二年（西元八四二年），七十一歲，辭太子少傅，以刑部尚書致仕。

武宗會昌六年（西元八四六年），七十五歲，八月卒，贈尚書右僕射。

居易自幼聰慧，六歲便學作詩，二十歲以後，刻苦讀書，曾有口舌成瘡，手肘生胝的苦況。晚年白衣鳩杖，往來香山，自號香山居士，又號醉吟先生。

白居易出生於貧苦的鄉村，對貧苦早有相當的體驗，對農村的艱苦情形也非常熟悉。到了政界之後，親覩政治腐敗，民生疾苦，促成了他憂世救民、改造社會的理想。所以他提出「文章合爲時而著，歌詩合爲事而作」的號召，認爲文學要爲人生而作，文學應用來反映社會，改善時代，是當時有名的「社會詩人」。他的詩歌平易明暢，婦孺能解，不但風行當時，且流傳到朝鮮和日本，實爲中國詩人無上的榮譽。

白居易與元稹交往最爲密切，他們情意相投，常相唱和，時稱「元白」。有白氏長慶集七十一卷傳世。

【題解】

白居易五十一歲後，曾任杭州、蘇州刺史，當地風光明媚，像太湖、西湖更是聞名全國，堪稱江南第一。許多文人雅士經常來此，留下無數韻事。當居易回長安洛陽後，想起往日足跡所至，對江南有無限的懷念，於是寫了三闋憶江南，這是其中的一闋。

【本文】

江南好，風景舊曾諳⑴。日出江花紅勝火，春來江水綠如藍，能不憶江南？

【注釋】

⑴諳—音ㄢ，熟悉。

【賞析】

這首憶江南是歌詠本題的作品，即描寫江南美景。作者對印象中的江南有著完美的追憶，他用重點式的描繪，把草長鶯飛的江南呈現於我們眼底。那就是日出時的江花，和春天降臨時的江水，那「紅勝火」、「綠如藍」一點也不誇張，因爲那正是作者回憶時主觀的色彩。同時，像火一般的花朵，襯映著藍綠的江水，更透出了幾許活潑鮮明的氣息，引人遐思。短短的二十七個字，卻繪出了一幅水平花簇的風景畫，使那南國風情令人神往。

㈡更漏子　　溫庭筠

【作者】

溫庭筠，字飛卿，本名岐，太原祁人。唐開國功臣溫彥博六世孫。生於唐憲宗元和十五年（西元八二〇年），死於唐懿宗咸通十一年（西元八七〇年）左右。唐宣宗大中初應進士，屢試不第。他不修邊幅，在科場中好代人作文，又喜譏刺權貴，多犯忌諱，所以終身放蕩潦倒。飛卿才思敏捷，每賦一韻，一吟而已，故場中號爲「溫八吟」。詩與李商隱齊名，並稱溫、李。詞濃麗香艷，極爲綺靡，有握蘭、金荃二集，但均已亡佚。今存六十八闋詞，保留在花間集、尊前集中。詞家有集，自庭筠始。

【題解】

唐人稱夜間爲更漏。更漏子調創於晚唐，而飛卿又最擅長此調。

【本文】

玉鑪香，紅蠟淚。偏照畫堂(2)秋思。眉翠薄，鬢雲殘。夜長衾(3)枕寒。　梧桐樹，三更雨。不道(4)離情正苦。一葉葉，一聲聲。空階滴到明。

【注釋】

(2)畫堂—堂以彩畫爲飾，故稱畫堂。

(3)衾—音ㄑㄧㄣ或ㄑㄧㄣˊ，被子。

(4)不道—不顧、不管。

【賞析】

這闋更漏子寫秋夜閨懷，運語絲絲扣人。

玉鑪中香氣游轉，紅燭點滴成淚，偏照畫堂，只是一片秋思。閨中人卸去粧粉，眉鬢皆已稀薄，原來這秋思是閨中人的。漫漫長夜，一人孤眠，想必閨人之眉鬢就是這樣掉的。半夜三更，猶未入眠，屋外的雨聲、桐葉，卻不解哀情，只會添增蕭瑟的氣氛；這「一聲聲」，「一葉葉」的「滴」，「空階」那能不折損？而傷心人竟也「一聲聲」「一葉葉」的聽著、數著、哀著、怨著；雨「一滴滴」地往「空階」上滴，就好像針一針針地往心裏刺，梧桐「一葉葉」地掉落，又有如眉鬢一絲絲地敗脫，這情境，怎堪入眠呢？又怎堪徹夜達旦呢？若非一人孤寢，何至如此？

㈢菩薩蠻　　韋莊

【作者】

韋莊，字端己，京兆杜陵（今陝西長安）人。是蘇州刺史韋應物的四世孫。

唐文宗開成元年（西元八三六年），韋莊生。少孤貧力學，才敏過人。

唐僖宗廣明元年（西元八八〇年），四十五歲，應舉長安。正逢黃巢入長安，莊陷兵中，大病。

唐僖宗中和三年（西元八八三年），四十八歲，在洛陽作秦婦吟長詩，共一千三百餘字，歷述當日離亂，時人稱之為「秦婦吟秀才」。

此後十年間，他遊盡江南，沈浸於紅袖花叢之中。

唐昭宗乾寧元年（西元八九四年），五十九歲，登進士第，授校書郎。

唐昭宗光化三年（西元九〇〇年），六十五歲，入蜀依西川節度使王建，為掌書記。

後梁太祖（朱全忠篡唐，改國號為梁）開平元年（西元九〇七年），七十二歲，王建也稱帝，是為前蜀。前蜀的典章制度，都是出於莊手。

後梁太祖開平四年（西元九一〇年），即前蜀高祖武成三年，莊七十五歲，累遷至吏部尚書，同平章事。是年卒，諡「文靖」。

韋莊少年孤貧力學，中年逢黃巢之亂，轉徙於江湖之間，晚年始成進士。唐滅亡後，他輔佐王建，創立前蜀的基業。在四川期間，他曾於浣花溪尋得杜甫成都草堂遺址，並在當地蓋一茅屋居住，所以詞集也題爲浣花集，今已失傳；今存五十四首，散見花間、尊前等集。

莊詩風平易似白居易，詞長於寫情，善作白描，情深語淡，清新秀麗，與溫庭筠完全不同。

【題解】

菩薩蠻，本唐教坊曲。唐蘇鶚杜陽雜編有一段記載：「宣宗大中初，蠻國入貢，危髻金冠，瓔珞被體，故謂之菩薩蠻。當時倡優遂製菩薩蠻曲。文士往往聲其詞。」也有人認爲李白時已有了此調。

【本文】

人人盡說江南好，遊人只合江南老(5)。春水碧於天，畫船聽雨眠。　壚邊人似月，
皓腕凝霜雪(6)。未老莫還鄉，還鄉須斷腸。

【注釋】

(5)只合江南老—合，配，應該；遊人只配江南老，謂遊人應該在江南終老。

(6)壚……霜雪—暖酒的爐叫壚。壚邊的侍女明媚如月，潔白的手臂如霜雪般柔潤。

【賞析】

江南所以叫人流連忘返，不單是春水、碧天等優美的自然景觀，更由於其風情；在和煦的春天裏，睡臥畫舫聽雨聲，多麼悠閒自在？何況還有醇酒美人相伴？就算在此渡過一生，也不枉費啊！可是自己眞能如此逍遙安逸嗎？想起故鄉的動亂，雖未歸鄉，且身居江南，能不斷腸？

這闋詞作於韋莊未入蜀之前，遊居江南之時。前面六句，固然寫盡了江南的景物風情，也足可引人入勝，卻只是作者奏出情愫的序曲而已，寫得越是優美引人，遊子越是思愁滿腸，而越給讀者「強顏歡笑」的感覺。這是高妙的對比手法。

(四)蝶戀花

馮延巳

【作者】

馮延巳，字正中，一名延嗣，廣陵（今江蘇江都縣）人。約生於唐昭宗天復三年（西元九〇三年），死於宋太祖建隆元年（西元九六〇年）。仕南唐，中主李璟時拜同平章事。

延巳工文章，多才藝，學問淵博，辯說縱橫。但是熱中功利，恃才傲物，好狎侮朝士，所以嫉恨他的人不少。到了晚年，逐漸改掉惡習，漸得人望。不過史書所載，仍然譭多於譽。

詩文未見，詞集名陽春集。延巳詞雖多寫閨情離思，但詞風清新秀美，與韋莊接近，無浮艷輕薄之習。近人王國維評其詞「堂廡特大，開北宋一代風氣。」可見延巳對宋詞影響很大。

【題解】

蝶戀花，唐教坊曲，本名鵲踏枝，宋晏殊采梁簡文帝詩：「穿階蝴蝶戀花行」句，改爲今名。

【本文】

幾日行雲何處去？忘卻歸來，不道(7)春將暮。百草千花寒食(8)路，香車(9)繫在誰家樹？　淚眼倚樓頻獨語。雙燕來時，陌上相逢否？撩亂春愁如柳絮，悠悠夢裏無尋處。

【注釋】

(7)不道—不知道。
(8)寒食—冬至後一百零五日，也就是清明節前二日，叫做寒食，禁火三日。
(9)香車—華美的馬車。

【賞析】

這闋蝶戀花是抒寫暮春閨婦思怨丈夫的情景。
上片以夫君出遊忘歸，來顯示婦女的「怨」。「不道春將暮」藉時序的轉移，隱喻夫君不留意婦人的青春與情懷；接著兩句，以「百草千花」比喻佳人美女，以「寒食路」代表遊人孤寂，而「香車繫在誰家樹」一句，既像嫉怨，又似關切，也包含了幾許無奈。

下片則把上片所壓抑住的思念整個道盡，雖然夫君樂遊忘歸，叫人怨恨，但還是希望他趕快回來，到底是夫妻啊！淚眼、倚樓、獨語、問燕、尋夢，這種企盼是無處沒有，無時不在的。恰似飄飄柳絮，似若輕淡（因爲有了上片的怨），卻又綿綿；欲絕則不斷，欲連則不連，忐忑猶豫，最是難當。

【討論】

△同是閨思，這闋詞與溫庭筠的更漏子，在取材及情境上有何不同？

㈤虞美人　李煜

【作者】

李煜，初名從嘉，字重光，號鍾隱，又號蓮峰居士，是南唐中主李璟的第六子。後晉高祖天福二年（西元九三七年）生。

宋太祖建隆二年（西元九六一年），二十五歲，中主崩，煜嗣位於金陵，史稱南唐後主。當時南唐已奉宋正朔，宋曾屢次徵後主入朝，他都稱病不往；後主也屢次遣使入貢，得以苟安。

即位後立周氏爲國后，后生仲宣，四歲而夭，周后悲傷而卒。當周后重病時，後主朝夕探視，親嘗湯藥，足見恩愛情深。

太祖開寶元年（西元九六八年），三十二歲，立周后妹小周后爲國后，寵愛有加。
開寶八年（西元九七五年），三十九歲。宋將曹彬破金陵，滅南唐。
開寶九年（西元九七六年），四十歲。後主被俘往汴京，宋太祖封爲違命侯。太宗即位後，改封隴西公。
太宗太平興國三年（西元九七八年），四十二歲，七夕爲後主生辰，命故伎在住處宴樂，聲聞於外，太宗怒。又聞有「小樓昨夜又東風，故國不堪回首月明中」之句，就賜後主牽機藥自盡。
後主嗜好書畫文詞，精於音韻。其詞以情勝，而善用白描的手法。他的詞，以國亡爲界，可分爲前後兩期：前期大半是艷詞，溫馨綺麗；後期則悽厲哀傷，感慨加深，題材也加廣了。王國維說：「詞至李後主，而眼界始大，感慨遂深，遂變伶工之詞而爲士大夫之詞。」後世遂冠以詞帝之名。

【題解】

虞美人，唐教坊曲，大概是取項羽被漢軍圍困時，在帳幕中對虞姬唱「虞兮虞兮奈若何！」之句而命名的。這個詞牌又名虞美人令、玉壺冰、憶柳曲等。這是李後主引起宋太宗毒害他的導火線。

【本文】

春花秋月何時了？往事知多少？小樓昨夜又東風，故國不堪回首月明中！雕闌玉砌⑽應猶在，只是朱顏改⑾；問君能有幾多愁？恰似一江春水向東流！

【注釋】

⑽雕闌玉砌—雕有圖案的闌干，用如玉的美石砌成的階梯。指南唐原來的國都—金陵的華美建築。

⑾朱顏改—泛指人事全非。包括故國已亡，自己已衰老等等。

【賞析】

這闋虞美人是寫李後主被俘後，在北地懷想故國，又不得歸去的愁怨。

春花秋月，對生活於幸福中的人而言，是浪漫又富於情調的，但對階下囚的李後主來說，卻徒然引起內心的激盪而已；故國往事歷歷在目，能不淒涼？說是「知多少」，實則都知道。尤其在明月下，幽居小樓，迎著從故國吹來的風，更叫人不堪回首。

下半闋藉物是人非的慨嘆，托出不盡的頹喪與無奈，除了緬懷故國，長恨悠悠以外，還能如何？

㈥浪淘沙　　李　煜

【本文】

簾外雨潺潺⑿，春意闌珊⒀。羅衾⒁不耐五更寒。夢裡不知身是客，一晌⒂貪歡。

獨自莫憑欄，無限江山。別時容易見時難。流水落花春去也⒃，天上人間。

【注釋】

(12)潺潺—音ㄔㄢˊ，雨聲。
(13)闌珊—減退、漸漸衰歇。
(14)羅衾—輕軟的絲織品所做的被子。
(15)一晌—片刻。晌，音ㄕㄤˇ。
(16)流水落花春去也—往日美好的一切已像流水落花一般，一去不回。

【賞析】

這闋浪淘沙寫李後主被俘後難忘故國，日思夜夢的哀痛。上半闋用倒敘法，寫後主蓋著羅衾，卻抵禦不了北地料峭的春寒，當他驚醒過來，聽到簾外潺潺的雨聲，才發覺春意已凋零，而自己也已是亡國囚客；方才那種帝王歡樂的生活，原來只是夢境而已。

儘管「貪歡」，但夢是夢，實是實，獨自怎堪多回首呢？憑欄遠眺，關山無際，想回去，談何容易？一在天上，一在人間，應是相見了無期了。

(七)蘇幕遮　范仲淹

【作者】

范仲淹，字希文，蘇州吳縣（今江蘇吳縣）人。生於宋太宗端拱二年（西元九八九年），死於宋仁宗皇祐四年（西元一〇五二年），年六十四。

二歲父逝，母改嫁朱氏，仲淹從其姓，名說。及長，得知自己身世，感泣辭母而去，勵志苦讀，終於在宋眞宗大中祥符八年（西元一〇一五年）登進士第（年二十七），迎母歸養，並還姓更名。

仲淹爲人正直有氣節，常說：「士當先天下之憂而憂，後天下之樂而樂。」元昊反，奉令出征，守邊數年，號令嚴明，愛護士卒，西夏人不敢犯，曾說：「小范老子，胸中自有數萬甲兵！」於是元昊請和。後召拜樞密副使，參知政事，外和內剛，考覈嚴峻，爲僥倖者所不悅。獎掖儒學，培養天下俊士，孫復、歐陽修、張載等人，都曾受過他的恩惠。仲淹提倡氣節，一時士大夫熱烈響應，隱然尊他爲清流領袖。後出知亳州、青州。不久去世，追贈兵部尚書，諡文正。

仲淹才高志遠，是宋代名臣，文章乃其餘事。他的詞激壯沈雄，開蘇、辛派之先河。著有范文正公集。根據後人收輯，僅存詞六闋而已。

【題解】

蘇幕遮，唐教坊曲，本爲胡樂，唐時傳入中國，遂爲舞曲之一。蘇幕遮原是西域婦女的帽子，後來當作詞調的名稱，據唐人張說的詩，認爲海西歌舞時舞人所戴的帽飾叫蘇幕遮，所以後來用稱詞調。

【本文】

碧雲天，黃葉地。秋色連波，波上寒煙翠。山映斜陽天接水。芳草無情，更在斜陽外⒄。黯⒅鄉魂，追旅思⒆。夜夜除非，好夢留人睡⒇。明月高樓休獨倚。酒入愁腸，化作相思淚。

【注釋】

⒄芳草……外—芳草廣濶，一直連緜到斜陽以外的地方。比天接水還遠，故用「更」；滿佈秋色，不解客愁，故說「無情」。

⒅黯—即黯然，失意的樣子。

⒆追旅思—思，ㄙˋ。旅思就是作客的心情。追有迫促之意。

⒇夜……人睡—除非每夜都有一個好夢，才能伴人安心入睡。

【賞析】

這闋蘇幕遮是寫范仲淹鎮守邊地時，因觸目秋色，而引起思鄉愁情。碧雲天、黃葉地、秋波、寒煙、山映斜陽、天接水、芳草斜陽外，作者的視覺由天而地、而水、而山、而斜陽、而天水連接處、而斜陽之外，縱橫上下，由近而遠，觸目所及，滿是秋色，怎不淒涼？居此異地，焉能暢懷？說是芳草「無情」，其實那一個不是「無情」？難怪鄉魂要黯，旅思要迫切了！夜裏難眠，望鄉則空留餘哀，借酒消愁則愁更愁，到底該如何？

上半闋似若寫景，其實已潛藏思愁，才會滿紙秋色；下半闋則借著前片所醞釀的筆勢，直抒情感，直寫愁腸，直說淚眼，濃烈奔放卻一點也不突兀。

(八)浣溪沙　晏殊

【作者】

晏殊，字同叔，諡「元獻」，撫州臨川（今江西臨川）人。

宋太宗淳化二年（西元九九一年）生。少聰敏，七歲就能寫文章。

眞宗景德初年（西元一〇〇四年），十四歲，以神童的身分被推薦到朝廷。皇帝召他和其他進士並試廷中，殊從容不迫，一揮而就，帝嘉賞他，賜同進士出身，授秘書省正字。

仁宗康定初（西元一〇四〇年），五十歲，授樞密使，進同中書門下平章事。

慶曆三年（西元一〇四三年），五十三歲，加集賢殿大學士。

慶曆四年（西元一〇四四年），五十四歲，遭蔡襄等誣陷，降調工部尙書，又出知潁州。

仁宗至和元年（西元一〇五四年），六十四歲，因病請歸京就醫。病癒後留侍皇帝身旁。

至和二年（西元一〇五五年），六十五歲，病逝。

殊個性剛峻，學問淵博，自奉如寒士，而喜好賢俊，一時名士，如范仲淹、韓琦、富弼等，皆受其引用。

殊文章贍麗，詩閑雅而有情思，但晏殊在文學上的地位，並非來自這些詩文，而是來自詞。他的詞清疏閑雅，雖時露淡淡哀愁，卻沒有激情淒楚的味道；詞中常寓哲理，對人生有著圓融的觀照。其詞集名珠玉詞。

【題解】

浣溪沙，唐教坊曲，沙或作紗，創於五代南唐中主。這個詞牌的別名很多，如小庭花、滿院春、廣寒枝、霜菊黃、怨啼鵑……等都是。

【本文】

一曲新詞酒一杯，去年天氣舊亭臺，夕陽西下幾時回？　無可奈何花落去，似曾相識燕歸來，小園香徑(21)獨徘徊。

【注釋】

(21)香徑—花間的小徑。

【賞析】

這闋浣溪沙是送春之詞，藉惋惜落花，感傷時光之流逝，人生之有窮。

填就一闋新詞，把酒品飲，本是文人快意事，然而夕陽西下，卻又引發詩人的感傷；儘管天時不易、亭臺依舊，而流光易逝，人生又有多少時日可以長享塡詞飲酒之樂呢？「夕陽西下幾時回？」問得多天眞，傷得多幼稚啊！可是，除卻這份眞稚，又有什麼可以代表詩人胸懷？

春花已落，歎息又有何用？燕子重來，雖似曾相識，卻也沒有帶來任何慰藉的話，牠只是來逃避酷寒而已。只好在晚照下，徘徊於小園裏的花徑，獨自感傷。

㈨天仙子　時爲嘉禾小倅(22)，以病眠不赴府會

張　先

【作者】

張先，字子野，烏程（今浙江吳興縣）人。生於宋太宗淳化元年（西元九九〇年），死於宋神宗元豐元年（西元一〇七八年），年八十九。仁宗天聖八年（西元一〇三〇年），登進士第。歷知吳江縣、渝州、虢州，約於嘉祐末（西元一〇六三年）以都官郎中的職位退休。

他個性善戲謔，有趣味，至老不衰。工詩，而以詞聞，與柳永齊名。詞中喜用影字，世稱「張三影」。子野詞娟潔秀逸，漸離小令境界，而入於誇張工麗的作風，所以是宋詞轉型期的代表作家之一。著有安陸集。

【題解】

天仙子，唐教坊曲。段安節樂府雜錄：「天仙子，本名萬斯年。李德裕進，屬龜茲部舞曲。因皇甫松詞有『懊惱天仙應有以』句，取以爲名。」

【本文】

水調(23)數聲持酒聽，午醉醒來愁未醒。送春春去幾時回？臨晚鏡，傷流景(24)，往事後期(25)空記省。　沙上並禽(26)池上暝(27)，雲破月來花弄影。重重簾幕密遮燈；風不定，人初靜，明日落紅應滿徑。

【注釋】

(22)嘉禾小倅—嘉禾，縣名，即今浙江嘉興。倅（ㄘㄨㄟˋ），副。張先爲嘉禾判官時，在仁宗慶曆元年（西元一〇四一年），年五十二。

(23)水調—曲調名。相傳隋煬帝幸江都時所製，調極淒怨。

(24)流景—流光。

(25)後期—後約。

(26)並禽—成雙成對的鳥，指鴛鴦。

(27)暝—昏暗。一作「瞑」，解爲鴛鴦閉上眼睛。

【賞析】

這闋天仙子是感慨流光易逝，往事成空，未來又茫然不可知，恐怕終將一事無成。與晏殊浣溪沙情致相近。從午後酒醉醒來，一直寫到黃昏、入夜、是一連續又生動的畫面。

詩人臥病在牀，空看春光流去，而無法作爲，只好借酒銷愁，本已夠「愁」了，不意午醉醒來，耳中又傳來府會的水調聲，一時哀傷泉湧，新愁加舊愁，除了「把酒」，何以自處？傍晚時分，攬鏡自照，竟是與歲月共蒼老，過去既無所成，往後的日子，一個病人又能如何呢？往屋外看去，池水漸暗，沙洲上鴛鴦成雙而棲。後來雲被風吹散，月光照射下來，但見花枝隨風搖曳，影兒晃動。

抬眼望去，屋舍已遮上重重簾幕，將燈光罩住，人也靜了下來，只有屋外的風仍颳著，看來明日必定要花落滿徑了。借「花」表「時」，藉「時」托「情」，情景交融，餘恨無限。

(十)玉樓春

宋祁

【作者】

宋祁，字子京，安陸（今湖北安陸）人。生於宋眞宗咸平元年（西元九九八年），死於宋仁宗嘉祐六年（西元一〇六〇年），年六十四。仁宗天聖二年（西元一〇二四年），年二十七，與兄庠同時中進士，授大理寺丞、國子監直講，先後任尙書工部員外郎、權三司度支判官等職，知壽州、陳州，以龍圖閣直學士知杭州，累遷工部尙書、翰林學士。卒諡景文。

曾與歐陽修同修唐書，有詞集，永樂大典尙存了一部分。

【題解】

玉樓春，花間集顧敻詞起句有「月照玉樓春漏促」，尊前集歐陽炯起句有「春早玉樓煙雨夜」，因取爲調名。別名有木蘭花、春曉曲、惜春容等。

【本文】

東城漸覺風光好，縠皺波紋(28)迎客棹。綠楊煙外曉雲輕，紅杏枝頭春意鬧(29)。　浮生(30)長恨歡娛少，肯愛千金輕一笑？爲君持酒勸斜陽，且向花間留晚照。

【注釋】

(28)縠皺波紋—縠（ㄏㄨˊ），縐紗。皺，同縐。形容波紋細如皺紗。
(29)紅杏……鬧—紅色的杏花熱鬧地開滿枝頭，春意盎然。
(30)浮生—人生無定，所以叫浮生。李白有「浮生若夢，爲歡幾何。」句。

【賞析】

這闋玉樓春是宋祁留戀春光之作，亮麗鮮明的筆端，充滿對人生的熱愛。東城春意漸濃：河面皺紗似的波紋正迎接著客船的到達；縠波、綠楊、曉雲、紅杏，好一幅明媚風光！而「迎」「輕」「鬧」三字，又在明媚之中灑上大把活潑，透過「波動」「雲飄」「柳姿」「杏態」，似乎萬物都在歡躍；尤其這一「鬧」字，雖沒有「迎」字的溫文，也沒有「輕」字的飄逸，卻有著無限的生趣，充滿歡樂的氣息，令人不得不受其感染。

下半闋以人生短暫，歡樂太少，勸人何妨千金一擲而博取佳人一笑呢？斜陽雖然短暫，但是把酒賞花，品賞柔媚，何曾不是樂事？何必管他遲暮呢？這等「活」的熱誠，我們只看他那「為君持酒」，便不得不佩服，也不得不跟著他「活」！

㈩踏莎行　　歐陽修

【作者】

歐陽修，字永叔，號六一居士。江西廬陵人。

宋眞宗景德四年（西元一〇〇七年），歐陽修生。

眞宗大中祥符三年（西元一〇一〇年），四歲，父去世，母鄭氏守節教養他。家貧，常以荻畫地學書。

大中祥符九年（西元一〇一六年），十歲，於廢書簏中得韓愈遺稿，傾慕不已。

仁宗天聖八年（西元一〇三〇年），二十四歲，中進士，調西京（洛陽）推官，被留守錢惟演所重視。和留守幕府裏的古文家尹洙、詩人梅堯臣唱和，尹、梅二人後來成爲歐陽修改革文學運動的健將。

仁宗景祐元年（西元一〇三四年），二十八歲，回京任館閣校勘，參與編修崇文書目。

景祐三年（西元一〇三六年），三十歲，范仲淹因直言上諫被貶，修上書痛詆諫官，也被貶爲夷陵縣令。

宋仁宗慶曆三年（西元一〇四三年），三十七歲，還京知諫院，拜右正言，並奉命修起居注，知制誥。

慶曆五年（西元一〇四五年），三十九歲，上朋黨論，替韓琦、范仲淹辯護，遭小人誣陷，貶爲滁州刺史。在滁自號醉翁，有名的醉翁亭記就是這時作的。

仁宗皇祐元年（西元一〇四九年），四十三歲，知潁州，好當地西湖美景，有采桑子詞十闋，都是歌詠景物之作。

仁宗至和元年（西元一〇五四年），四十八歲，擢翰林學士，受命重修唐書。

仁宗嘉祐五年（西元一〇六〇年），五十四歲，新唐書修成，拜禮部侍郎，兼侍讀學士。不久升爲樞密副使。

嘉祐六年（西元一〇六一年），五十五歲，參知政事，和韓琦同心輔政，天下清平。

神宗熙寧四年（西元一〇七一年），六十五歲，與王安石政見不合，告老歸隱潁州。

宋神宗熙寧五年（西元一〇七二年），歐陽修死。

歐陽修是宋代文學改革運動的領導者，又是散文詩詞各方面的大作家。蘇東坡說他是宋朝的韓愈，這是恰當的。以詩歌來說，韓詩險怪，歐詩卻淺明通達。著有歐陽文忠公集。

【題解】

踏莎行，又名喜朝天、柳長春、踏雪行等。這個調創於寇準之手。

【本文】

候館⑶梅殘，溪橋柳細，草薰風暖⑶搖征轡⑶。離愁漸遠漸無窮，迢迢⑶不斷春如水。

寸寸柔腸，盈盈⑶粉淚，樓高莫近危闌⑶倚。平蕪⑶盡處是春山，行人更在春山外。

【注釋】

⑶候館—可供望遠之樓。

⑶草薰風暖—薰，香氣。暖和的春風吹過，花草散出芳香。

⑶征轡—轡，音ㄆㄟˋ，馬韁，代表馬。征轡，即遠行的人騎坐的馬匹。

⑶迢迢—遙遠不盡的樣子。

⑶盈盈—盈盈，原指女子體態輕巧，這裏指淚眼盈眶。

⑶危闌—高樓上的欄杆。

⑶平蕪—平坦的草原。

【賞析】

這闋踏莎行是寫送別之情。「候館梅殘」，正是春天時節；「溪橋柳細」，風光恰好可觀，奈何人去？

「草薰風暖」，非但沒有讓行人留下玩賞，反而讓行馬輕快而去。隨著行人遠去，離愁越來越濃，就像橋下的春水一般，永無窮盡。

懷著愁腸，帶著淚眼，登上高樓，又不敢倚欄眺望，因為行人早已越過平野，穿過青山而去。「平蕪盡處是春山，行人更在春山外。」呼應著「離愁漸遠漸無窮」，以空間的延長，增添離情的濃度。

(十三)鷓鴣天

晏幾道

【作者】

晏幾道，字叔原，號小山，是晏殊的幼子。詞家稱殊為大晏，幾道為小晏。小晏生於宋仁宗天聖九年（西元一〇三一年），死於宋徽宗崇寧五年（西元一一〇六年），年七十六。

他雖為名相之子，但早年豪奢華貴，不求仕進，歌酒自放，又不願逢迎附炎，致晚年窮途潦倒。終其一生，僅當過開封府推官、太常寺太祝而已。

小晏詞輕倩靈秀，婉約淒美，雖不能在馮延巳、李後主之上，但實為結束五代詞風的宋初一大詞人。由於生活的變化，他的前期作品，多呈現富貴風流之態。而後期作品，多沈鬱悲涼之調。詞集名小山詞。

【題解】

鷓鴣天，取鄭嵎詩「家住鷓鴣天」句而命名。又名思越人、思佳客、翦朝霞、醉梅花等。

【本文】

翠袖(38)殷勤捧玉鐘(39)，當年拚卻(40)醉顏紅，舞低楊柳樓心月，歌盡桃花扇底風(41)。

從別後，憶相逢，幾回魂夢與君同。今宵賸把銀釭(42)照，猶恐相逢是夢中。

【注釋】

(38)翠袖—指歌舞女子。

(39)玉鐘—玉製的酒盃。鐘，同鍾，酒盃。

(40)拚卻—情願、不惜。拚，音ㄆㄢˋ。

(41)舞……底風—比喻歌舞不息，通宵達旦，本來高掛柳梢，映照樓心的月兒，已經低沈下去！而桃花扇裏也已扇不出風來。桃花扇，歌舞時用的扇子。

(42)銀釭—銀製的燈盞。釭，音ㄍㄤ。

【賞析】

這闋鷓鴣天是寫別後相逢之情，往日的歡樂生活，既是回憶，也是期望。當是幾道早期的作品。

前半闋寫當年在美人殷勤地勸酒下，豪情萬丈的喝得兩頰通紅，而沈醉在輕歌妙舞之中，徹夜達旦，流連忘返。密友久別相逢，憶起，甚或談起過去的歡樂，是一點也不奇怪的。

後半闋寫別後思念之苦，魂縈夢牽；如今雖然相逢，舉起銀製的燈盞照了又照，還擔心相逢只是夢境呢？樂極生疑，而欣悅又在疑中湧出。

【附錄】

漁歌子

張志和

西塞山前白鷺飛，桃花流水鱖魚肥。青箬笠，綠蓑衣，斜風細雨不須歸。

憶秦娥

李白

簫聲咽，秦娥夢斷秦樓月。秦樓月，年年柳色，灞陵傷別。樂遊原上清秋節，咸陽古道音塵絕，西風殘照，漢家陵闕。

（有人認爲憶秦娥是溫庭筠的作品，也有人說是出自唐末遺民的手筆。）

欸乃曲

元結

千里楓林煙雨深，無朝無暮有猿吟。停橈靜聽曲中意，好似雲山韶濩音。

相見歡

李煜

林花謝了春紅，太匆匆。無奈朝來寒雨晚來風。胭脂淚，留人醉，幾時重？自是人生長恨水長東。

漁家傲

范仲淹

塞下秋來風景異。衡陽雁去無留意。四面邊聲連角起。千嶂裏，長煙落日孤城閉。　濁酒一杯家萬里。燕然未勒歸無計。羌管悠悠霜滿地。人不寐，將軍白髮征夫淚。

清平樂

晏　殊

金風細細，葉葉梧桐墜。綠酒初嘗人易醉，一枕小窗濃睡。　紫薇朱槿花殘，斜陽卻照闌干。雙燕欲歸時節，銀屏昨夜微寒。

臨江仙

晏幾道

夢後樓臺高鎖，酒醒簾幕低垂。去年春恨却來時。落花人獨立，微雨燕雙飛。　記得小蘋初見，兩重心字羅衣。琵琶絃上說相思。當時明月在，曾照彩雲歸。

一三 詞選下（北宋詞㈡、南宋詞）

說明：本期大家輩出，詞的內容擴大了，詞的各種風格也確立了，是詞的全盛時期。

首先是柳永應著張先的意趣，改變典雅婉約的詞風，確立了通俗艷麗的典型。由於他把濃艷俚俗合在一起，所以常會趨向浮佻鄙陋。

其次蘇軾以曠世的才情與學問，化柳永的「歌者詞」爲「詩人詞」，提高詞在文學上的地位。同時又上承范仲淹的風範，成爲「豪放詞」的代表作家。

接著秦觀、賀鑄、周邦彥等人，融合婉約、艷麗、豪放三派的風格，而歸於委婉秀美、典雅中正，並建立格律音聲之制，形成「詞人之詞」，被後世奉爲詞之正宗。但三人的風格又略有不同：秦觀的詞以「婉約」著稱，初期受柳永影響，但柔弱而不低俗；晚期轉入凄咽。賀鑄的詞接近晏幾道的哀切，又有蘇軾的剛健。周邦彥喜好音樂，製作很多曲調，替詞的音律，定下典型。他的詞格調高雅，文字秀麗，兼具音律和詞情之美，實集詞學之大成，故後世奉爲詞壇正宗。可惜內容以寫景詠物爲主，雖啓南宋詞風，卻嫌貧乏。

經過秦觀、賀鑄、周邦彥幾位大家的經營，宋詞本應走向格律古典的路子，可是靖康之難卻使這個文學潮流發生變化，在宋室南渡前後，蘇軾一派豪放自由的詞反而得到發揮，呈現出一種混合著詩歌與散文形態的詞。這派的作家以辛棄疾爲代表，陸游次之。

宋室與金議和南渡以後，朝野上下漸漸淡忘了靖康的國恥，又步入輕歌妙舞的生活。這種心理，反映在詞上面，遂要求辭句的雅正工麗，音律的和協精密，而走上唯美的路子。屬於這個派別的，有姜夔、吳文英、張炎等。

另外，介於北宋、南宋之間，有一位了不起的女詞人—李清照，她的詞造語清新，意境超妙，一般文學史都把她列在北宋的範圍裏。但是無論就藝術觀點或內容來看，她重要的作品都是在南渡以後寫成的，所以我們把她放在南宋詞裏頭。

㈠雨霖鈴　**柳　永**

寒蟬淒切，對長亭晚，驟雨初歇。都門帳飲無緒，方留戀處，蘭舟催發。執手相看淚眼，竟無語凝咽。念去去，千里煙波，暮靄沈沈楚天濶。　多情自古傷離別，更那堪，冷落清秋節，今宵酒醒何處？楊柳岸，曉風殘月。此去經年，應是良辰好景虛設，便縱有，千種風情，更與何人說。

㈡念奴嬌　赤壁懷古　**蘇　軾**

大江東去，浪淘盡，千古風流人物。故壘西邊，人道是：三國周郎赤壁。亂石崩雲，驚濤裂岸，捲起千堆雪。江山如畫，一時多少豪傑。　遙想公瑾當年，小喬初嫁了，雄姿英發。羽扇綸巾，談笑間，強虜灰飛煙滅。故國神遊，多情應笑我，早生華髮。人生如夢，一尊還酹江月。

㈢水調歌頭　丙辰中秋歡飲達旦，大醉，作此篇，兼懷子由　**蘇　軾**

「明月幾時有？」把酒問青天：「不知天上宮闕，今夕是何年？」我欲乘風歸去，又恐瓊樓玉宇，高處不勝寒；起舞弄清影，何似在人間？　轉朱閣，低綺戶，照無眠。不應有恨，何事偏向別時圓？人有悲歡離合，月有陰晴圓缺，此事古難全。但願人長久，千里共嬋娟。

(四)**踏莎行　郴州旅次**　**秦觀**

霧失樓臺，月迷津渡，桃源望斷無尋處。可堪孤館閉春寒，杜鵑聲裏斜陽暮。　驛寄梅花，魚傳尺素，砌成此恨無重數。郴江幸自繞郴山，爲誰流下瀟湘去？

(五)**青玉案**　**賀鑄**

凌波不過橫塘路，但目送芳塵去。錦瑟華年誰與度？月橋花院，瑣窗朱戶，只有春知處。　飛雲冉冉蘅皋暮，彩筆新題斷腸句。試問閒愁都幾許？一川煙草，滿城風絮，梅子黃時雨。

(六)**瑣窗寒**　**周邦彥**

暗柳啼鴉，單衣佇立，小簾朱戶。桐花半畝，靜鎖一庭愁雨。灑空階，夜闌未休，故人翦燭西窗語。似楚江暝宿，風燈零亂，少年羈旅。　遲暮，嬉游處。正店舍無煙，禁城百五。旗亭喚酒，付與高陽儔侶。想東園、桃李自春，小脣秀靨今在否？到歸時、定有殘英，待客攜尊俎。

(七)**聲聲慢　秋情**　**李清照**

尋尋覓覓，冷冷清清，悽悽慘慘戚戚。乍暖還寒時候，最難將息。三杯兩盞淡酒，怎敵他，晚來風急。雁過也，正傷心，卻是舊時相識。　滿地黃花堆積，憔悴損，如今有誰忺摘？守著窗兒，獨自怎生得黑？梧桐更兼細雨，到黃昏，點點滴滴。這次第，怎一個愁字了得！

(八)**夜遊宮　記夢寄師伯渾**　**陸游**

雪曉清笳亂起，夢遊處，不知何地。鐵騎無聲望似水。想關河：雁門西，青海際。　睡覺寒燈裏，漏聲斷，月斜窗紙。自許封侯在萬里。有誰知，鬢雖殘，心未死。

(九)**永遇樂　京口北固亭懷古**　**辛棄疾**

千古江山，英雄無覓，孫仲謀處。舞榭歌臺，風流總被，雨打風吹去。斜陽草樹，尋常巷陌，人道寄奴曾住。想當年，金戈鐵馬，氣吞萬里如虎。　元嘉草草，封狼居胥，贏得倉皇北顧。四十三年，望中猶記，烽火揚州路。可堪回首，佛貍祠下，一片神鴉社鼓。憑誰問，廉頗老矣，尚能飯否？

(十)念奴嬌　姜夔

余客武陵，湖北憲治在焉；古城野水，喬木參天。余與二三友，日蕩舟其間，薄荷花而飲，意象幽閒，不類人境。秋水且涸，荷葉出地尋丈，因列坐其下，上不見日，清風徐來，綠雲自動，間於疏處，窺見游人畫船，亦一樂也。揭來吳興，數得相羊荷花中，又夜泛西湖，光景奇絕；故以此句寫之。

鬧紅一舸，記來時，嘗與鴛鴦爲侶。三十六陂人未到，水佩風裳無數。翠葉吹涼，玉容消酒，更灑菰蒲雨。嫣然搖動，冷香飛上詩句。　日暮，青蓋亭亭，情人不見，爭忍凌波去？只恐舞衣寒易落，愁入西風南浦。高柳垂陰，老魚吹浪，留我花間住。田田多少，幾回沙際歸路。

(十一)浣溪沙　吳文英

門隔花深舊夢游，夕陽無語燕歸愁，玉纖香動小簾鉤。　落絮無聲春墮淚，行雲有影月含羞，東風臨夜冷於秋。

(十二)高陽臺　西湖春感　張炎

接葉巢鶯，平波捲絮，斷橋斜日歸船。能幾番遊？看花又是明年。東風且伴薔薇住，到薔薇、春已堪憐。更淒然，萬綠西泠，一抹荒烟。　當年燕子知何處？但苔深韋曲，草暗斜川。見說新愁，如今也到鷗邊。無心再續笙歌夢，掩重門、淺醉閒眠。莫開簾，怕見飛花，怕聽啼鵑。

(一)雨霖鈴

柳　永

【作者】

柳永，字耆卿，初名三變，崇安（今福建崇安）人。約生於宋眞宗景德元年（西元一〇〇四年），死於宋仁宗嘉祐八年（西元一〇六三年）左右。登仁宗景祐元年（西元一〇三四年）進士，曾任睦州推官，屯田員外郎。

他通曉音律，善塡歌詞，教坊樂工每創新腔，一定要請柳永塡詞，才能流行於世；當時有「凡有井水處，即能歌柳詞。」的說法，足見他的盛名。

但是他爲人熱中名利，又疏放少檢束，喜歡用纖佻鄙俗之語塡詞，頗爲士大夫所排斥，仁宗也厭惡他的爲人。在功名失意下，柳永更放浪形骸，縱情歌樓酒肆間，自稱「奉聖旨塡詞柳三變」。因而他的作品也多多少少有些抑鬱。

柳永的詞音律甚諧，擅長於長調的鋪敘，尤其善寫羈旅行役，但詞格不高，穠麗中略嫌鄙佻。詞集名「樂章集」。

【題解】

雨霖鈴，唐教坊曲名，安史之亂，唐玄宗幸蜀，初入斜谷，霖雨不斷，於棧道中聞鈴聲，心中悼念貴妃，遂採其聲爲「雨霖鈴」曲以寄恨。

【本文】

寒蟬淒切⑴，對長亭晚，驟雨⑵初歇。都門帳飲⑶無緒，方留戀處，蘭舟⑷催發，執手相看淚眼，竟無語凝咽⑸。念去去，千里煙波，暮靄沈沈⑹楚天⑺闊。　多情自古傷離別，更那堪，冷落清秋節？今宵酒醒何處？楊柳岸，曉風殘月⑻。此去經年⑼，應是良辰好景虛設。便縱有，千種風情⑽，更與何人說？

【注釋】

⑴寒蟬淒切—寒蟬，蟬的一種，因深秋天寒時便不鳴叫而得名。淒切，異常悲切。
⑵驟雨—急雨。
⑶帳飲—在道旁設棚帳，備酒食與行者餞別。
⑷蘭舟—木蘭舟的簡稱。木蘭高丈餘，晚春開花，木材可做舟槳。
⑸凝咽—喉中氣塞。咽，一本作「噎」。
⑹暮靄沈沈—晚間雲氣濃厚。沈沈，深遠的樣子。
⑺楚天—有如說「楚地」，泛指現在兩湖、安徽一帶。
⑻楊柳……月—溫庭筠更漏子有「簾外曉鶯殘月」句，柳永添換數字，意境大異。
⑼經年—年復一年地過去。

⑽風情—玩賞風月之情緒，李後主詞有「風情漸老見春羞」句。又解爲風流瀟灑之情趣，白居易詩有「一篇長恨有風情」句。

【賞析】

這是一闋秋別的情詞，寫得十分纏綿，發人幽思。

起三句塑景，已透出黯然的氣氛。餞別時心情正煩，加上蘭舟催發的無奈，不禁淚眼無語。遙想此去南方，遼濶的楚地籠罩在濃暗的晚雲裏，作者的心緒更加黯然了。

下片提筆振起，悲情傾洩而出。離別本就是自古以來多情人的傷心事，更何況是秋別？想起今宵酒醒夢回，兩岸偏植楊柳，絲絲夜風吹來，殘月掛在西天，友人不復可見的淒異景象，離情益發深切。收束處說好景虛設，只因欲傾訴而乏知音，難解寂寞心緒；而這一切，原都是此番離別所造成的。

㈡念奴嬌　赤壁⑾懷古

蘇　軾

【作者】

蘇軾，字子瞻，四川眉山人。

宋仁宗景祐三年（西元一〇三六年），蘇軾生。父洵，母程氏。

宋仁宗慶曆五年（西元一〇四六年），十一歲，程氏親自教他讀書，經常問他古今成敗之理，而能說出要點。有一次，程氏讀後漢書至范滂傳時，慨然長嘆，軾就說自己要是當范滂，母親答不答應？程氏非常讀許他。

宋仁宗嘉祐二年（西元一〇五七年），二十二歲，參加禮部考試，主考歐陽修擢置進士第二，後以春秋對策列第一。是年四月母逝世，服喪三年。

宋仁宗嘉祐四年（西元一〇五九年），二十四歲，授河南福昌縣主簿，後調鳳翔府判官。

宋英宗治平二年（西元一〇六五年），三十歲，召入京直史館。

宋英宗治平三年（西元一〇六六年），三十一歲，父洵病卒，扶柩歸葬。

宋神宗熙寧四年（西元一〇七一年），三十六歲，王安石創行新法，軾上書言不便，與安石意見相左，遂請外調，作杭州通判三年。其後改知密州，再徙徐州而湖州。

宋神宗元豐二年（西元一〇七九年），四十四歲，言事之官拾取他的詩語，以為訕謗，逮赴臺獄，但是經過蒐求證據的結果，久未定讞。是年十二月二十九日，神宗特命以黃州團練副使安置他。在黃州五年，軾築室於黃州的東坡，以讀書、作詩、遊覽名勝，結交方外自遣，自號東坡居士。

宋神宗元豐八年（西元一〇八五年），五十歲，奉旨放還，定居常州。神宗崩，哲宗立，司馬光拜相。軾復起，歷官起居舍人、翰林學士、知制誥。

宋哲宗元祐四年（西元一〇八九年），五十四歲，以龍圖閣學士，知杭州。在杭始築蘇堤。

宋哲宗元祐七年（西元一〇九二年），五十七歲，召還，歷兵部尚書，禮部尚書、兼端明殿翰林、侍讀二學士。

宋哲宗紹聖元年（西元一〇九四年），五十九歲，章惇拜相，復行新法，元祐大臣都遭斥逐，軾被貶寧遠軍節度副使，惠州安置。居三年，又貶瓊州別駕，昌化安置。

宋徽宗建中靖國元年（西元一一〇一年），六十六歲，逢大赦北還，復朝奉郎，提舉成都玉局觀，是年卒於常州，謚文忠。

蘇軾是一位多才多藝的人，他集策論、詩詞、書法、繪畫、圍棋……各方面名家於一身。他不但從事於創作，又是一個理論家，論文主達意，論詩主妙遠，論詞主曠達。更難得的是，他具有一副超逸不凡，忘懷得失的胸襟，所以能特立獨行，不論是器識、議論、文章、政事，都有傑出的表現。他的著作有易書傳、論語說、唐書辨疑、東坡全集、仇池筆記、東坡志林等。

【題解】

念奴嬌，詞牌名，用唐天寶年間名倡念奴來命名。開元遺事記載：「念奴有色善歌，宮妓中第一。帝嘗曰：『此女眼色媚人。』又曰：『念奴每執板當席，聲出朝霞之上。』」又有百字令、百字謠、壺中天、大江東去……等別稱。

【本文】

大江東去，浪淘盡，千古風流⑿人物。故壘⒀西邊，人道是：三國周郎赤壁⒁。亂石崩雲⒂，驚濤裂岸，捲起千堆雪⒃。江山如畫，一時多少豪傑⒄。　遙想公瑾當年，小喬⒅初嫁了，雄姿英發。羽扇綸巾⒆，談笑間，強虜灰飛煙滅⒇。故國神遊，多情應笑我，早生華髮(21)。人生如夢，一尊還酹江月(22)。

【注釋】

⑾赤壁—周瑜破曹操的赤壁在湖北省嘉魚縣。蘇軾所游的赤壁，在黃州（湖北黃岡縣）城外，也叫赤鼻磯。當時也有人誤傳黃州的赤壁即是三國戰場，於是蘇軾就以同名之便，借以詠懷，不過他還是不敢忽視事實，所以在詞裡特別說了「人道是」三個字。

⑿風流—舉止瀟灑，品格清高。

⒀故壘—舊的營壘。

⒁人道……壁—漢末魏、蜀、吳鼎足而立，史稱三國。周瑜，字公瑾，廬江舒人。郎，年少男子之稱。赤壁因周瑜而成名，所以稱周郎赤壁。漢建安十三年（西元二〇八年），曹操南征，孫權遣周瑜及程普等與劉備合力抵抗，在嘉魚縣的赤壁大敗曹軍。東坡居士並非把黃岡的赤鼻磯誤為赤壁，因文人作品，不是史、地考證，不過借題發揮而已，所以用「人道是」三字。

⒂亂石崩雲—由江面往高處看去，只見亂石聳立，似乎要從雲端崩塌下來一般。比喻形勢的雄偉。

⒃雪—指白色的浪花。

⒄江山……豪傑—面對如畫的江山，一時之間，心頭湧起無數的歷史豪傑。

⒅小喬—吳國喬玄有兩個漂亮的女兒，孫策娶了大喬，周瑜娶了小喬。周瑜娶妻時是建安三年（西元一九八年），他二十四歲。

⒆羽扇綸巾—綸（ㄍㄨㄢ）巾，以青絲帶做成的便帽。三國兩晉的名士，喜手揮羽扇，頭戴綸巾，後世遂用來形容輕便瀟脫的裝扮，這裏是形容周瑜悠閒從容，藐視強敵的樣子。

(20)強虜……滅—虜，敵人，指曹軍。周瑜以火攻破曹軍，所以說灰飛煙滅。

(21)故國……髮—故國，指三國。「多情應笑我」，「應笑我多情」之倒裝。華髮，花白（半白）的頭髮；華，通「花」。像周瑜那樣的英雄豪傑，都會隨江水的流逝而凋零了，何況是我這種頭髮早已花白的人呢？可是我卻還在那裏神往歷史的風流人物，怎能不被世人笑為多情善感呢？意謂人生總將一死，何必仰慕所謂的豪傑英雄呢？

(22)人生……江月—尊，樽的古字，酒器。酹，音ㄌㄟˋ，把酒澆在地面祭奠。這裏是說：人生如夢，與其追仰豪雄，不如與江月共飲。極富曠達浪漫的情調。

【賞析】

這是一闋弔古興悲之詞，是宋神宗元豐五年（西元一〇八二年），作者四十七歲，謫居黃州時所作。

上片寫面對浩蕩的江水，所引發的懷古幽情。古來的聖賢豪傑，儘管叱吒一時，終是隨著時光的消逝，同化塵埃；就像那拍岸的浪花一般，英雄豪傑徒自留下轟動一時的偉烈事蹟，供後人憑弔，而他們的生命，早隨洶湧的波濤流逝了。

下片誇大周公瑾迎娶美眷，和談笑間大敗曹軍的飛揚神采，來顯示歲月的無情，因而觸發了作者對生命的強烈悸動—人生眞像一場虛無縹緲的夢啊！愈想愈神傷，不如拿起樽酒，對著江月憑弔！這時，由激烈轉為澄靜，使人心境開朗舒暢起來。

這闋詞，把東坡居士的豪邁性情赤裸裸地展露出來，英氣凌人；而寫景抒情交相錯綜，構成一幅情景交融的悲壯畫面，實為詞壇的千古絕唱。

(三)水調歌頭

丙辰(23)中秋，歡飲達旦，大醉，作此篇，兼懷子由(24)　蘇　軾

【題解】

水調歌頭，詞牌名，創於隋唐間，爲五言曲調，至五代才有七字句，入宋演變爲新調。又名江南好、花犯念奴、元會曲、凱歌。

【本文】

「明月幾時有？」把酒問青天：「不知天上宮闕，今夕是何年？」我欲乘風歸去，又恐瓊樓玉宇(25)，高處不勝寒；起舞弄清影，何似在人間(26)？　轉朱閣，低綺戶(27)，照無眠。不應有恨，何事偏向別時圓？人有悲歡離合，月有陰晴圓缺，此事古難全，但願人長久，千里共嬋娟(28)。

【注釋】

(23)丙辰—宋神宗熙寧九年（西元一〇七一年），蘇軾四十一歲，因與王安石不合，自請外調，在密州（山東諸城縣）掌政。

(24)子由—蘇軾弟弟，名轍，字子由。

(25)瓊樓玉宇—指月中宮殿。瓊玉都是形容宮殿華麗的意思。

(26)起舞……人間—在人間，月下歡舞，清影相伴，這那是天上所能比的呢？

(27)轉朱閣，低綺戶—轉朱閣，照遍了華麗的樓閣。低綺戶，低低地照進綺美的門窗裏去。

(28)但願……娟—嬋娟，色態美好，這裡指明月。這裏是說：但願兄弟無恙，隔千里之遙而共賞這輪明月。

【賞析】

這闋是中秋夜自述胸襟，並懷念子由之詞。

起句無視「明月」的美好，直就其不常有處問青天，已是奇筆；下句又對天起疑，想登臨卻又恐怕高處不勝寒，不如人間，更非一般綺麗的遐思所可比擬。蘇軾當時正是失意時候，於是藉「明月」的不常有，感歎人世的冷落，而興起脫離人世之想，可是人又如何跳得出這個羅網呢？於是東坡先生再度展現曠達的胸襟，肯定了現實人生的意義。只是此際的人生，已不再是往昔那種天庭一般的朝廷了，他所寄掛的，只有骨肉之親而已。

陰晴圓缺，是月亮循環不已的現象；悲歡離合，豈是人生可以避免的嗎？只是月亮不解風情，偏在別時成圓，並追蹤似地照得我睡不著，怎不叫人恨？可是恨歸恨，又能奈何，退而求其次吧，只要彼此安好，能在世上共賞天上的明月，也就堪為慰藉了。

(四)踏莎行　郴州(29)旅次

秦　觀

【作者】

秦觀，字少游，一字太虛，號淮海居士，揚州高郵（江蘇高郵）人。生於宋仁宗皇祐元年（西元一〇四九年），死於宋哲宗元符三年（西元一一〇〇年），年五十二。

秦觀年輕時豪傑慷慨，富有文才，後來考上進士。哲宗元祐年間（西元一〇八六—一〇九三年）接受蘇東坡推薦，當上太學博士，兼國史編修。哲宗紹聖元年（西元一〇九四年），復行新政，蘇軾一派的舊黨被貶，秦觀也被貶到處州（在今浙江省）監理酒稅，當時是四十六歲。紹聖三年又徙郴州（在今湖南省）。徽宗立（西元一一〇〇年），復官爲宣德郎，回京途中，在藤州（在今廣西省）出遊華光寺，作「客道夢中」長短句，欲飲水時，笑視飲水而死。

少游是蘇門四學士之一（四學士指黃庭堅、秦觀、張耒、晁補之），聲名僅次於蘇、黃，詞名則幾乎駕乎其上。有「淮海集」行世，詞集名「淮海詞」，亦名「淮海居士長短句」。

【題解】

踏莎行，詞牌名。取唐韓翃詩「踏莎行草過春溪」爲名。行指行步，非樂府所謂的歌行。又名喜朝天、柳長春、踏雪行等。

【本文】

霧失樓臺，月迷津渡[30]，桃源望斷無尋處[31]。可堪孤館閉春寒[32]，杜鵑[33]聲裏斜陽暮。驛寄梅花[34]，魚傳尺素[35]，砌成此恨無重數。郴江[36]幸自繞郴山，爲誰流下瀟湘去？

【注釋】

(29)郴州旅次—郴州，今湖南郴縣。郴，音ㄔㄣ。紹聖三年（西元一〇九六年），少游遷謫郴州，此詞作於四年春天，當時少游四十九歲。

(30)月迷津渡—明亮的月光，照在水面上，泛出白芒，以致弄不清楚水邊的渡船頭在那裏。

(31)桃源望斷無尋處—陶潛在桃花源記中說武陵（湖南常德）有一個世外桃源。由於與郴州同在湖南，所以秦觀引用它，借以表示理想居處無法找到。

(32)可堪……寒—可堪，怎堪，怎能忍受。古時的傳舍，是驛站供過客住的房舍，大多很簡陋。孤館閉春寒，春寒料峭時節，孤單的關在傳舍裏。

(33)杜鵑—一名子規，一字杜宇，鳴聲哀淒，有如叫人「歸去，歸去」，容易勾起思愁。

(34)驛寄梅花—吳國陸凱自江南寄梅花給長安的好友范曄，並贈詩說：「折梅逢驛使，寄與隴頭人。江南無所有，聊贈一枝春。」秦觀遠離故鄉，接獲友人來函慰問，就好比范曄收到梅、函一般。

(35)魚傳尺素—魚，古代放信的夾板，用木板做成，共有兩片，一蓋一底，外表各挖三條凹溝綁起來，並在方孔封泥押印。有時木板刻成魚形，方孔有如魚目；由於有兩片，有時美稱為雙鯉魚。素，白絹。尺素，即書信的代稱；古代書信，多寫於絹上。漢古詩云：「客從遠方來，遺我雙鯉魚；呼兒烹鯉魚，中有尺素書。」

(36)郴江—在郴州東部，北流入耒水，再入湘江。

【賞析】

此篇為少游謫貶郴州時，客舍寂寥，有感而作。

上片用霧、月遮斷樓臺、津渡，象徵時局不清明，又用桃源無覓處，象徵自己雖想避居世外，卻不知何去何處。既無處可去，只好悶在館舍裏。處境如此，已夠淒涼了，偏偏春寒逼人，穿屋而入，杜鵑無知，在斜陽下傳來淒厲的哀鳴，如何能忍受呢？春寒杜鵑，一直擺出落井下石的氣焰，而孤館斜陽，則隱隱暗示自己的淒苦黯然。

離鄉背井，孤處他鄉，友人傳音告慰，本是一大快事，奈何愁思正濃，友人的慰問反而堆成無限恨慨。此情此景，儘管懷友心切，儘管歸心似箭，又能如何呢？重山乖隔，莫可交通，唯一可行的郴江，卻又幸自繞過郴山，流向瀟湘，直下江南而去，它肯為誰稍待片刻呢？

(五)青玉案　賀鑄

【作者】

賀鑄，字方回，晚年號慶湖遺老，衛州（今河南汲縣）人。生於宋仁宗嘉祐八年（西元一〇六三年），死於宋徽宗宣和二年（西元一一二〇年），年五十八。他是孝惠后的族孫，又娶宗室趙克彰之女，本可輕易地取得富貴，但是方回生性耿介，痛恨權貴，不善鑽營，終其一生，只做過泗州通判，和太平州的副官而已，悒悒不得志。賀鑄崇尚義氣，好飲酒，有錢時揮金如土，扶貧濟困，史書上說他身材高大，面鐵色，眉聳拔，時人謂之「賀鬼頭」。所為詩詞，清新麗密，間有豪壯之作，直追東坡。詞集名「東山詞」。

【題解】

青玉案，詞牌名。漢張衡四愁詩：「美人贈我錦繡段，何以報之青玉案。」調名取自於此。案，通「椀」，為盛酒之器具。

【本文】

凌波(37)不過橫塘(38)路，但目送芳塵(39)去。錦瑟華年(40)誰與度？月橋花院，瑣窗(41)朱戶，只有春知處。　飛雲冉冉蘅皋暮(42)，彩筆新題斷腸句。試問閒愁都(43)幾許？一川煙草，滿城風絮，梅子黃時雨。

【注釋】

(37)凌波—曹植洛神賦：「凌波微步，羅襪生塵。」後世就以凌波喻女子步履輕盈。
(38)橫塘—在蘇州城外，賀鑄在這裡有住屋。
(39)芳塵—指美人的行迹。
(40)錦瑟華年—李商隱詩：「錦瑟無端五十絃，一絃一柱思華年。」後來就用錦瑟華年代表青春時光。
(41)瑣窗—雕花的窗。古時用玉連環裝飾門窗，有時也用來雕飾，稱為金瑣或青瑣。
(42)飛雲……暮—冉冉，舒緩地流動。蘅，香草名，即杜蘅。皋，澤岸、塘岸。這句是說：飛雲片片，夜色籠罩著滿是香草的塘岸。

(43)都—共有。

【賞析】

此篇是思慕佳人不得，而自敍心中苦悶的詞，是方回在蘇州橫塘寓居時所作。

先從初見伊人的時地寫起，由個中怨惱的無奈，可以看出詞人愛慕之深。「錦瑟華年」本就應該有人共度，可是不是我。會是誰呢？「誰與度」三字，關切暗含疑忌，惱煞人也。尤其「月橋花院」、「瑣窗朱戶」，佳人何在，深不可知，更是惱人。思慕、企盼、疑忌、無奈，交織成一片不可解的鬱悶，非親歷其境者實難領會。

美人既像飛雲般飄忽不定，只好又拾起彩筆，再次題下斷腸句。既能斷腸，卻又故作輕鬆，說是閒愁，可見壓抑之重，難怪他的心要像煙草風絮般的茫然紛亂了。

(六)瑣窗寒　周邦彥

【作者】

周邦彥，字美成，自號清眞居士，錢塘（今浙江杭縣）人。生於宋仁宗嘉祐元年（西元一〇五六年），死於宋徽宗宣和三年（西元一一二一年），年六十六。

邦彥才高學博，神宗元豐時（西元一〇七八—一〇八五年），在太學獻「汴都賦」萬餘言，多古文奇字，得神宗賞識，自諸生提升爲太學正。累官至提舉南京（今河南商邱縣）鴻慶宮。邦彥詞名甚盛，精通音律，能自度新聲，自名其齋爲「顧曲」。他的詞音律嚴整，詞句工麗，集北宋詞家之大成。詞集名「清眞詞」，又名「片玉詞」。

【題解】

瑣窗寒一名瑣寒窗，因詞有「靜鎖一庭愁雨」，及「故人翦燭西窗語」句得名。

【本文】

暗柳啼鴉，單衣竚立，小簾朱戶。桐花半畝，靜鎖一庭愁雨。灑空階，夜闌未休，故人翦燭西窗語(44)。似楚江暝宿，風燈零亂(45)，少年羈旅。　遲暮，嬉游處。正店舍無煙，禁城百五(46)。旗亭喚酒，付與高陽儔侶(47)。想東園、桃李自春，小脣秀靨(48)今在否？到歸時、定有殘英，待客携尊俎(49)。

【注釋】

(44)翦燭……語－謂話舊。指深夜聽雨，就好像和故人在西窗下翦燭低語。李商隱詩：「何當共翦西窗燭，卻話巴山夜雨時。」

(45)風燈零亂－燈在風中閃曳不定。杜甫詩：「風起春燈亂。」

(46)店舍……五—指現在正是寒食節，因俗例禁火，客舍也沒有炊煙升起。
(47)高陽儔侶—指酒徒。漢朝酈食其戴儒冠去見沛公劉邦，被擋在門外，食其按劍大喊：「我非儒生，乃高陽酒徒也。」於是劉邦才接見他。（見史記）
(48)秀靨—面頰的小渦叫靨（ㄧㄝˋ）。秀靨，即秀麗的容貌。
(49)尊俎—盛裝酒食之器具。

【賞析】

此篇描寫旅人久客思歸的心情。

上片從陰暗欲雨的黃昏寫到淫雨不休的深夜，由庭外的暗柳啼鴉寫到庭內的桐花愁雨，時時刻刻，隨處隨地都在誘引朱戶裏單衣竚立的異鄉人的思愁，越來越濃。等到夜深人靜，異鄉人仍聽數著空階上的雨聲，而不能成眠，於是他興起翦燭西窗，和閨人低語的懷念和期盼。同時，也感傷自己到處飄遊，無法安享天倫之樂。「楚江暝宿，風燈零亂。」豈止是一時一地而已？

下片由節近寒食，客舍無煙，寂寥旅人只好在旗亭喚酒，邊飲酒邊思念閨中人的情形，來表示離鄉的愁苦，明知道，伊人的花容月貌現在不可能一如往昔，卻還要問；明知道，歸去時，春天在東園裏盛開的桃李未必還有，卻篤定地要携尊俎去尋落花，這便是對故鄉、佳人的關愛，這便是旅人思歸的期待。不知汜汜宇宙，是否能讓他如願。

(七)聲聲慢　秋情

李清照

【作者】

李清照，自號易安居士，山東濟南人。生於宋神宗元豐四年（西元一〇八一年），約卒於南宋高宗紹興十五年（西元一一四五年）。她父親李格非是京都提刑，母親是王狀元拱辰的孫女，讀很多書。這樣的書香家庭，對於她日後在文壇上的成就，當然有所助益。

清照二十一歲時（宋徽宗年間），嫁太學生趙明誠爲妻，趙的父親，是當時有名的政治家趙挺之。婚後兩人生活美滿，除了詩、詞唱和之外，還收集研究古代的金石字畫，合力完成了金石錄三十卷。

靖康、建炎年間（西元一一二六—一一三〇年），金兵南下，他們收藏的歷代金石字畫泰半散失，只帶了最精彩的一小部分，匆匆地逃往江南。不久，明誠罹患急病死了，當時清照年近五十，膝下空虛，孑然一身，蕭條淒苦，只好南下金華，投靠其弟迒。

她是南渡前後的女詞人，前期作品溫馨秀逸，後期則沈鬱淒涼。這種情形與李後主類似，只是一個基於亡國之恨，一個則出於喪夫無子之苦。她善於以白描的手法，用平淺的字句，表現歡樂或是哀苦，被後世推爲閨秀詞人之最，可惜作品大都散佚。現在所傳的「漱玉詞」，係後人所編拾的。

【題解】

聲聲慢，詞牌名。宋人蔣捷作秋聲賦，都一韻都以「聲」字收，本調因而取以爲名。又名「人在樓上」。

【本文】

尋尋覓覓(50)，冷冷清清，悽悽慘慘戚戚(51)。乍暖還寒(52)時候，最難將息(53)。三杯兩盞淡酒，怎敵他，晚來風急。雁過也，正傷心，卻是舊時相識。 滿地黃花堆積，憔悴損(54)，如今有誰忺(55)摘？守著窗兒，獨自怎生得黑？梧桐更兼細雨，到黃昏，點點滴滴。這次第(56)，怎一個愁字了得！

【注釋】

(50)覓覓—音ㄇㄧˋ，尋找。
(51)戚戚—憂愁的樣子。
(52)乍暖還寒—一會兒熱，一會兒涼。乍，忽然，還，通「旋」，立即。
(53)將息—調養休息。
(54)憔悴損—損，猶言「煞」。憔悴煞，謂非常憔悴。此句表面上是說菊花，實際是寫自己。
(55)忺—音ㄒㄧㄢ，意所欲也。忺，一本作堪。
(56)這次第—這光景、這情況。

【賞析】

此篇是易安晚年之作，孀居生活淒涼的處境與愁慘的心緒，令人悲咽不已。

起首連下十四個疊字，是一種創格，後世嘆爲絕句，無人能及。僅這十四字，已充分表露了作者心靈的空虛，追尋的迫切，以及茫然若失的悲痛。加上季節的變換，風雨的摧折，雁兒的勾誘，雖有淡酒相伴，又如何抵擋得了這份孤寒？

想想，自己有若滿地黃花，誰來理睬？除了守著窗兒、聽數梧桐細雨，又如何能排解這一份寂寞無寥？可是隨著天色的陰暗，這點點滴滴卻一一化作穿心針，把原已淒切不堪的心刺得不復成形，這種情境，怎是一個「愁」字所能了釋的呢？

整闋詞所以能充滿悲淒的氣氛，主要是有具體景物的襯映與烘托：憔悴黃花襯映著自己的孤寂，風雨飛雁梧桐，加上節氣天色，則借外境的淒涼，來烘托自己的淒苦。配合上詞首十四個疊字與守著窗兒，便形成李清照擅長的「白描」手法。

(八)夜遊宮　記夢寄師伯渾(57)

陸　游

【作者】

陸游，字務觀，山陰（今浙江紹興縣）人。生於宋徽宗宣和七年（西元一一二五年），卒於南宋寧宗嘉定二年（西元一二〇九年），年八十五。

高宗紹興年間參加禮部考試，主試者把他置於前列，被秦檜刪除。孝宗即位（西元一一六三年），賜進士出身，作建康府通判，不久，改為隆興府通判，因事免歸，又作夔州通判。范成大當四川制置使時，陸游任參議官，二人以文字相交，不拘禮法，陸游遂自號放翁。寧宗嘉泰三年（西元一二〇三年），因參與編修國史有功，升為寶章閣待制，最後在太中大夫任內辭官。

陸游天生忠君愛國，畢生以恢復中原爲念（見附錄）。因母親的關係，陸游與妻唐氏仳離，哀傷追懷不已，七十餘歲時，尙有「此身行作稽山土，猶弔遺蹤一悵然」的懷念詩。

陸游詩、文、詞俱佳，有渭南文集、劍南詩稿、放翁詞（又稱渭南詞）。詞風和辛棄疾相近，以豪放爲主。

【題解】

夜遊宮，詞牌名。古詩云：「晝短苦夜長，何不秉燭遊？」前秦王嘉的拾遺記：「漢成帝於太液池旁起宵遊宮。又隋煬帝好以月夜從宮女數千騎遊西苑，作清夜遊曲，於馬上奏之。」詞名取自於此。

【本文】

雪曉清笳(58)亂起，夢遊處，不知何地。鐵騎無聲望似水。想關河：雁門西，青海際(59)。睡覺寒燈裏，漏聲(60)斷，月斜窗紙。自許封侯在萬里。有誰知，鬢雖殘，心未死。

【注釋】

(57)師伯渾—師渾甫，字伯渾，四川眉山人，隱居不仕。陸游四十八歲時在眉山和他認識，以後陸游在成都時，與他常有詩文往來。

(58)清笳—清亮的笳聲。笳，音ㄐㄧㄚ，本爲胡人樂器，後用於軍中。

(59)雁門……際—泛指宋代西北邊境。雁門關，在今山西代縣西北。青海，湖名，在今青海省東北境，古名鮮水，又名西海、仙海。

(60)漏聲—古時用銅壺盛水，使水漸漸的向下滴，以計算時間，叫做「刻漏」。漏聲，打更聲。

【賞析】

此篇藉夢抒寫懷抱，充滿了豪邁之氣。

放翁一生，以家國爲念，雖處於無可奈何之世，仍時時有恢復失土之心，於是日有所思，夜有所夢。夢裏來到一個不知名的地方，望著紀律森嚴，壯大英勇的戰士，不禁懷想起宋朝版圖。

下片從寒夜孤燈下清醒寫起，更聲已斷，斜月映照窗紙，好一幅冷清的畫面。靜謐中想起平生抱負，百未一償，悲壯之氣冉冉而升。所謂「老驥伏櫪，志在千里；烈士暮年，壯心不已。」就是放翁當時的心態啊！

【附錄】

示兒　　陸游

死去元知萬事空，但悲不見九州同。王師北定中原日，家祭無忘告乃翁。

(九)永遇樂　京口北固亭(61)懷古　　辛棄疾

【作者】

辛棄疾，字幼安，號稼軒，歷城（今山東濟南市）人。

宋高宗紹興十年（西元一一四〇年）生，這時歷城陷金已十餘年。

紹興三十二年（西元一一六二年），二十三歲，率義軍萬餘人歸南宋。稍後，被派往江陰軍做簽判。

孝宗乾道元年（西元一一六五年），二十六歲，主和派的勢力在南宋政府中佔了優勢，稼軒不顧官職低微，挺身而出，就宋金雙方和戰的前途作具體分析，寫成十篇論文，名叫「美芹十論」，奏陳皇上。

乾道六年（西元一一七〇年），三十一歲，虞允文拜相，稼軒希望他眞能在抗金戰爭中有所建樹，又寫了九篇論文，名叫「九議」，陳獻給他。

乾道八年（西元一一七二年），三十三歲，任滁州知州。該州偏僻貧瘠，又屢經戰亂，人民生活困苦。稼軒先奏請朝廷豁免農民積欠的稅，減輕課稅定額，放寬收繳期限，並減輕商戶的稅收，而後在州城內興築旅店接待客商，以振興商業，滁州景象便大爲改觀。

孝宗淳熙七年（西元一一八〇年），四十一歲，由湖南轉運判官，改爲潭州知兼湖南安撫使。他爲使農田獲得灌溉之利，以解決民生疾苦，就下令湖南路的各州郡，動用官倉中所存糧食，大募民工，開通溝渠。

淳熙九年（西元一一八二年），至寧宗嘉泰三年（西元一二〇三年），即四十三歲至六十四歲，這二十一年間，稼軒除了曾出任福建路的提刑和安撫使共不滿三年外，一直被棄置不用。

嘉泰三年（西元一二〇三年），六十四歲，韓侂胄爲了伐金，起用一批負有時譽的人物，稼軒原是韓所極力排斥的，這年夏天，竟又出任浙江東路安撫使。

嘉泰四年（西元一二〇四年），六十五歲，皇帝召見他，並改命爲鎮江知府。

開禧三年（西元一二〇七年），六十八歲，任命爲樞密院都承旨，尚未就任便逝世。

辛棄疾一生，以氣節自負，功業自許，但和南宋因循的政風不合，頗爲當路所忌，才幹未能充分發揮，遂把忠憤鬱勃之氣，表現在詞作上，形成豪邁雄放的風貌，遂而爲南宋巨匠，與蘇軾並稱「蘇辛」。詞集名稼軒長短句，簡稱稼軒詞。

【題解】

永遇樂，詞牌名。

【本文】

千古江山，英雄無覓，孫仲謀(62)處。舞榭歌臺，風流(63)總被，雨打風吹去。斜陽草樹，尋常巷陌，人道寄奴(64)曾住。想當年，金戈鐵馬，氣吞萬里如虎。　元嘉草草，封狼居胥，贏得倉皇北顧(65)。四十三年，望中猶記，烽火揚州路(66)。可堪回首，佛貍祠下，一片神鴉社鼓(67)。憑誰問，廉頗老矣，尚能飯否(68)？

【注釋】

(61)京口北固亭—京口，今江蘇鎮江，孫權曾在此建都。北固亭，在鎮江東北北固山上，面臨長江。

(62)孫仲謀—三國時吳主孫權，字仲謀。

(63)風流—流風餘韻。

(64)寄奴－南朝宋武帝劉裕小字寄奴，他的先世由彭城徙居京口，後來劉裕便在這裡起事，平定桓玄之亂，推翻東晉。

(65)元嘉……顧－封，積土爲臺，祭天慶功。狼居胥，山名，在今綏遠省西北。漢霍去病打敗匈奴，在狼居胥築臺祭天，後世遂以「封狼居胥」代表驅逐外族。劉裕之子宋文帝好大喜功，國力未集，準備未周，即在元嘉二十七年（西元四五〇年）派王玄漠率師北伐，想要趕走外族。結果宋軍大敗，北魏太武帝大軍南下，直抵江邊，宋君臣登石頭城北望，見敵軍壯盛，頗爲畏懼，而有了悔意。當時韓侂胄爲了個人的政治野心，想孤注一擲，出兵伐金，所以辛棄疾用這個典故來警惕。後來韓氏一意孤行，果然引起金兵大舉南侵。

(66)四十……路－雖已經過四十三年，可是向北瞭望，仍然記得當時揚州一帶的戰況。這三句表示當日大家抗敵的壯烈，至今仍無法忘懷。此詞作於寧宗開禧元年（西元一二〇五年），上距高宗紹興三十二年（西元一一六二年），棄疾率義軍自揚州投効南宋，剛好四十三年。

(67)可堪……鼓－可堪回首，那堪回首。佛貍，北魏太武帝小字；佛貍祠，北魏太武帝追王玄漠到長江北岸的瓜步山，在山上建行宮，後來成了佛貍祠。一片神鴉社鼓，一片烏鴉叫聲與祭祀鼓聲：當地人講烏鴉爲烏神，不射殺牠。這幾句是說：敵人正熱熱鬧鬧，大大方方地在佛貍祠舉行祭祀，敵人猖獗如此，未淪陷前的種種，那還堪回首呢？

(68)憑誰……否－憑誰問，有誰問。廉頗，戰國時趙國大將，曾破齊、攻魏，防守邊疆，勇名聞於諸侯；可是趙王聽信讒言，免去他的職守。後來趙被秦所困，又想用廉頗，恐怕他老不中用，派人前往探視。廉頗一頓飯吃了一斗米，十斤肉，又披甲上馬，表示尚能承當大任。但使者受人賄賂，說廉頗吃是能吃，可是坐不久即便溺三次。趙王因此不再用廉頗。辛棄疾作詞時正六十五歲，引事，表示自己雖老而彌堅，卻不受重視，只有空懷壯志，望景興歎而已。

【賞析】

這是辛稼軒六十五歲鎮守鎮江時，對景興愁之作，藉著撫今思昔，作者表現了抗金的堅定意志，以及反對冒進的穩健態度，頗有大將忠勇老成之氣勢。

上片純從歷史的回顧，來感慨國家的沈淪，而多多少少也在表示：自己的慷慨壯志，原本足可比美古代英雄豪傑，而今卻壯志難申。時移境遷，任他多少英雄豪傑、繁華盛事，總在無情的歲月消磨下，失去了鮮艷奪目的色彩，怎不令人傷歎？

下片先借宋文帝把劉裕的基業弄得面目全非的歷史，為韓侂冑貪功躁進，企圖北伐而擔心。而後描述自己的追憶與想像，表現自己對故土舊人的懷思，也吐露自己不受重視的無奈。用佛貍祠暗指北魏太武帝，陰謂侵佔中原的金人，與宋文帝之影射韓侂冑，正好成了巧妙的搭配。末了以「憑誰問」三句作結，給人以英雄末路的感覺，留給讀者無限的憾恨與省思。

通篇扣住「京口」去回想古來英雄之興衰，卻件件與當日之情況相合，不但沒給人以用典的困擾，反而倍覺貼切；而詞中所躍現的慨歎，在作者豪邁性格的熏染下，也脫離一般作品之柔弱抑鬱，浮現出催人的激力。

(十)念奴嬌

姜夔

【作者】

姜夔，字堯章，號白石，饒州番陽（今江西鄱陽縣）人。約生於宋高宗紹興二十二年（西元一一五二年），死在宋寧宗嘉定十三年（西元一二二〇年）之後。

其父噩為漢陽知縣，死於任內。姜夔自幼隨父宦游，久居漢陽。孝宗淳熙年間（西元一一七四—一一八九年），認識蕭德藻。德藻善於寫詩，與楊萬里、范成大、陸游、尤袤齊名，認識姜夔以後，自謂四十年作詩始得此友，遂將其侄女許配給姜夔。此後，姜夔與當時名流，如葉適、樓鑰、謝深甫等結交，朱熹愛他嫻熟禮樂，辛棄疾佩服他的長短句。他曾寄居吳興的武康，和白石洞天為鄰，所以自號「白石道人」。

寧宗慶元三年（西元一一九七年），宋室南渡已七十年，樂典久廢，姜夔乃進大樂議與琴瑟考古圖，論當時樂器、樂曲、歌詩的缺失，但未得到應有的重視。五年（西元一一九九年），又上聖宋鐃歌十二章，詔令准免通過鄉試，直接參加禮部會試，沒考上，於是以布衣之身與公卿交游，時人很敬重他。後來死於西湖，葬在西馬塍。

姜夔生性澹泊，喜好山水，善於言談，工於翰墨，尤其精於鑑定法書古器，名滿天下。他妙解音律，能自度曲。作詞講求聲韻與雕琢，結構完整，音調和諧，辭句優美，與周邦彥同樣重格律，而比周精美清幽，可是也常因格律文字而削弱詞境和內容。詞集名「白石道人歌曲」，簡稱「白石詞」。

【題解】

見本課第二闋題解欄。

【本文】

余客武陵，湖北憲治在焉(69)；古城野水，喬木參天。余與二三友，日蕩舟其間，薄(70)荷花而飲，意象幽明，不類人境。秋水且涸，荷葉出地尋丈，因列坐其下，上不見日，清風徐來，綠雲(71)自動，間於疏處，窺見游人畫船，亦一樂也。朅來吳興(72)，數得相羊(73)荷花中，又夜泛西湖，光景奇絕；故以此句寫之。

鬧紅一舸(74)，記來時，嘗與鴛鴦爲侶。三十六陂(75)人未到，水佩風裳(76)無數。翠葉吹涼，玉容消酒(77)，更灑菰蒲(78)雨。嫣然(79)搖動，冷香飛上詩句。　日暮，青蓋亭亭，情人不見，爭(80)忍凌波去？只恐舞衣寒易落，愁入西風南浦。高柳垂陰，老魚吹浪，留我花間住。田田(81)多少，幾回沙際歸路。

【注釋】

(69)余客……在焉—武陵，即今湖南常德縣，宋朝荊南荊湖北路提點刑獄的官署在武陵。當時蕭德藻爲湖北參議，姜夔在蕭家作客。

(70)薄—近、靠近。

(71)綠雲—指荷葉。

(72)朅來吳興－朅，音ㄑ一ㄝˋ，發語詞。吳興，今浙江湖州市，姜夔曾在這裡居住很久。
(73)相羊－即徜徉，徘徊遊賞之意。
(74)鬧紅一舸－鬧紅，指盛開的荷花。舸，音ㄍㄜˇ，小船。這句是說小船在盛開的荷花叢中穿蕩。
(75)三十六陂－陂，音ㄆ一ˊ，池塘。江蘇江都有三十六陂澤，這裡用來比喻水域遼濶，並非眞有其數。
(76)水佩風裳－水佩風裳本來是指美人妝飾，這裏用來指荷花，表示荷花荷葉之美，足可做爲美人之佩飾。
(77)玉容消酒－荷花微紅，像是帶著未完全消盡的酒意。
(78)菰蒲－菰，植物名，一名茭。春天生新芽如筍，名茭白筍。蒲，水草，可編蓆子。
(79)嫣然－笑容美好。
(80)爭－同怎。
(81)田田－形容蓮葉浮在水面的樣子。古樂府詩：「江南可采蓮，蓮葉何田田。」

【賞析】

此篇乃歌詠荷花之作，作者用鮮麗的辭語，以擬人的手法，將武陵、吳興、西湖三處的荷花合起來描寫，更見精緻華美。

上片寫荷葉荷花，有若無數佳人，面帶嫣紅，綻出笑靨，舞著翠綠的舞衣，陣陣飄香，頻頻送情，怎不令人不自禁的要歌詩讚詠呢？

正陶醉著，賞荷的人，又被柳陰魚浪吸引住，更是捨不得這片花海裏。直到天色已暗，不得不回去，還望著茂密的荷葉，在沙洲歸路徘徊。詩人善感的心靈，在此表達得淋漓盡致。這樣沈迷，明明是作者主動，而說是荷花不忍，浪陰相留，更能散發出光景之奇絕。

又前面序文，文字極爲清雋可喜，無論抒情寫景，都很眞切動人。

(十一)浣溪沙

吳文英

【作者】

吳文英，字君特，號夢窗，晚號覺翁，四明人（今浙江四明縣）。後人對他的生平事蹟所知不多。宋理宗紹定年間（西元一二二八—一二三三年），曾入蘇州倉幕；景定時（西元一二六〇—一二六四年），在榮王邸作客，認識丞相吳潛，與史宅之、賈似道等均有交誼。

吳文英晚年好塡詞，主張詞要協律、雅正、含蓄、柔婉，這是正宗詞派的一貫主張，但吳文英在周邦彥的工麗，姜夔的清空之外，別開奇麗的境界，不僅造語奇麗，常以時空錯綜的手法組織成篇，結構謹嚴，脈絡井然，是格律一派的極峯。當然，太重視格律的結果，是會影響內容的。詞集名「夢窗詞」。

【題解】

浣溪沙，唐教坊曲，沙也作紗，創於五代南唐中主。這個詞牌的別名很多，如小庭花、滿院春、廣寒枝、霜菊黃、怨啼鵑等都是。

【本文】

門隔花深⑻舊夢游，夕陽無語燕歸愁，玉纖香動小簾鈎。落絮⒀無聲春墮淚，行雲有影月含羞，東風臨夜冷於秋。

【注釋】

⑻門隔花深——門外繁花盛開。

⒀絮——楊柳花，白色如綿，輕而易飄。

【賞析】

此篇爲春天懷人之作，纏綿含蓄，饒有餘情。

門隔花深，正是春天好時光，不禁想起伊人，可是作者不直接追憶，而透過對夢的思省來表示，倍增日思夜想，夢魂牽繞之纏綿。雖然夢中情境未嘗非眞，可是而今已成虛幻，不可復得，能不抑鬱？難怪連夕陽都要因而黯然，歸燕都要爲我難過了。這時最難忘懷的，是她那纖纖玉手掀動小簾鈎的情景。

下片繼續移情於景，把落絮當成墮淚，雲影看作遮羞，阻隔而不見。表示追懷之苦，苦得讓良春墮淚，明月懼看。孤寒寂寞，料峭東風竟也冷過秋風，怎受得了呢？

㈢高陽臺　西湖春感

張　炎

【作者】

張炎，字叔夏，號玉田，又號樂笑翁。南宋名將張俊五世孫。本西秦人。南渡後遷於臨安（今浙江杭州）。生於宋理宗淳祐八年（西元一二四八年），死於元仁宗延祐五年（西元一三一八年），年七十一。張炎父祖輩皆工於文學，曉暢音律。張炎自幼承襲家學，長大後，又和詞人王沂孫、周密等往來，商榷酬唱，故能集吳文英之格律、姜夔之空靈於一身，卓然成家，爲南宋詞壇後勁。宋亡前，他過著湖邊醉酒，小閣題詩的富貴生活，詞風接近姜夔；宋亡後，潛蹤於東南山水間，窮困得賣卜爲生，作品也多寄託身世之慨，具有遺民之悲情。他在詞學方面研究頗深，著有詞源一書，爲論詞要籍。詞集名「山中白雲詞」。

【題解】

高陽臺，詞牌名。又名慶春澤、慶春宮。

【本文】

接葉巢鶯(84)，平波捲絮，斷橋(85)斜日歸船。能幾番遊？看花又是明年。東風且伴薔薇住，到薔薇、春已堪憐。更悽然，萬綠西泠(86)，一抹荒煙。　當年燕子知何處？但苔深韋曲(87)，草暗斜川(88)。見說新愁，如今也到鷗邊(89)。無心再續笙歌夢(90)，掩重門、淺醉閒眠。莫開簾，怕見飛花，怕聽啼鵑。

【注釋】

(84)接葉巢鶯—密葉叢中，有黃鶯築巢。
(85)斷橋—西湖孤山之側有白堤，白堤上第一座橋便是斷橋，橋成弓形，極富江南情調。
(86)西泠—西湖孤山之西有一橋橫跨，倒影水面，湖光山色，盡在眼前，不但景色幽美，且爲通北山之徑。
(87)苔深韋曲—以前的貴家宅院如今長滿了青苔。韋曲，在長安南皇子陂西，唐代諸韋氏居住此地，故名韋曲。這裡借來指西湖一地的大家宅。
(88)草暗斜川—以前文人常遊的地方如今長滿了深綠的草。斜川，在江西星子、都昌二縣間，陶潛有遊斜川詩。這裡指西湖勝景。
(89)見說……邊—愁緒如今已感染到鷗鳥的身上了。見說，聽說。鷗鳥白色，如人白髮，所以說有愁。
(90)無心……夢—沒有心情再繼續往日的繁華生活。

【賞析】

此篇寫旅遊之感觸，充滿故國之思，身世之恨，蒼涼而幽怨。

首先用密葉鶯巢、波捲落花、斜日歸船，表示春意已盡，要賞借殘春的淒涼，暗傷往日盛境的消逝。接著，由薔薇花開，春景已殘的「堪憐」，轉入西泠橋一片慘綠，一片荒煙的「悽然」，使花且待來年。春景更遠，氣氛更悲涼。

下半闋先藉燕子之無蹤，以及貴宅勝景之荒蕪，表示以前繁華盛事，而今已化爲夢境。而後移情鷗鳥，來顯現自己的哀傷。這是個殘酷的現實，除了借酒澆愁，掩門逃避，眞不知還有他法。淺醉閒眠，自然不能眞正地放下心？否則便不說「莫開簾，怕見飛花，怕聽啼鵑」了！可是，飛花可用簾遮去，鵑啼豈是擋得住的？只因憂懼過甚，也只有亂投醫藥了。

【附錄】

八聲甘州　　柳　永

對瀟瀟暮雨灑江天，一番洗清秋。漸霜風凄緊，關河冷落，殘照當樓。是處紅衰翠減，苒苒物華休。惟有長江水，無語東流。　不忍登高臨遠，望故鄉渺邈，歸思難收。歎年來蹤迹，何事苦淹留？想佳人、妝樓凝望，誤幾回、天際識歸舟？爭知我、倚闌干處，正恁凝愁？

永遇樂　彭城夜宿燕子樓，夢盼盼，因作此詞。　　蘇　軾

明月如霜，好風如水，清景無限。曲港跳魚，圓荷瀉露，寂寞無人見。紞如三鼓，鏗然一葉，黯黯夢雲驚斷。夜茫茫、重尋無處，覺來小園行徧。　天涯倦客，山中歸路，望斷故園心眼。燕子樓空。佳人何在？空鎖樓中燕。古今如夢，何曾夢覺？但有舊歡新怨。異時對、黃樓夜景，爲余浩歎。

卜算子　　李之儀

我住長江頭，君住長江尾。日日思君不見君，共飲長江水。此水幾時休？此恨何時已？只願君心似我

心，定不負相思意。

蘇幕遮

周邦彥

燎沈香，消溽暑。鳥雀呼晴，侵曉窺簷語。葉上初陽乾宿雨。水面清圓，一一風荷舉。　故鄉遙，何日去。家住吳門，久作長安旅。五月漁郎相憶否？小楫輕舟，夢入芙蓉浦。

如夢令

李清照

昨夜雨疏風驟，濃睡不消殘酒。試問捲簾人，卻道海棠依舊。知否？知否？應是綠肥紅瘦。

釵頭鳳

陸　游

紅酥手，黃縢酒，滿城春色宮牆柳。東風惡，歡情薄。一懷愁緒，幾年離索。錯！錯！錯。　春如舊，人空瘦，淚痕紅浥鮫綃透。桃花落，閒池閣。山盟雖在，錦書難託。莫！莫！莫！

西江月　題溧陽三塔寺

張孝祥

問訊河邊春色，重來又是三年。春風吹我過湖船，楊柳絲絲拂面。　世路如今已慣，此心到處悠然。寒光亭下水連天，飛起沙鷗一片。

一四　新詩選　　戴望舒等

㈠我用殘損的手掌

戴望舒

【作者】

戴望舒，原名戴夢鷗，浙江省杭縣人。

清德宗光緒三十一年（西元一九〇五年）生。

民國十五年（西元一九二六年），二十二歲，在上海主編「瓔珞旬刊」。

民國十六年（西元一九二七年），二十三歲，在上海主編「無軌列車」月刊。

民國十八年（西元一九二九年），二十五歲，參與上海「新文藝月刊」創刊工作。

民國二十一年（西元一九三二年），二十八歲，留學法國。

民國二十三年（西元一九三四年），三十歲，回國。

民國二十七年（西元一九三八年），三十四歲，主編香港「星島日報」副刊「星座」。

民國三十一年（西元一九四二年），三十八歲，被日寇逮捕入獄，受盡折磨而不屈。（香港民國三十年為日本占據）

民國三十四年（西元一九四五年），四十一歲，雖獲自由，卻已得了嚴重氣喘病。

民國三十九年（西元一九五〇年），四十六歲，病死於北平。

戴望舒喜好法國象徵派的詩，他自己的作品也深受影響，與李金髮同爲象徵派代表，與所謂的「自由詩」、新月派的「格律詩」，鼎足三十年代詩壇。

戴望舒早期的詩偏向唯美，有時有「爲賦新詞強說愁」的毛病，後來經歷戰爭的災禍，詩變得悲抑壯闊。

【題解】

這首詩是戴望舒初入獄所作，我們選了它，一方面以了解戴氏的詩風，一方面也看看抗戰時期文人的愛國壯志。

【本文】

我用殘損的手掌
摸索這廣大的土地：
這一角已變成灰燼，
那一角只是血和泥；
這一片湖該是我的家鄉，

（春天，堤上繁花如錦障，嫩柳枝折斷有奇異的芬芳，）
我觸到荇藻和水的微涼；
這長白山的雪峯冷到徹骨，
這黃河的水夾泥沙在指間滑出；
江南的水田，你當年新生的禾草，
是那麼細，那麼軟……現在只有蓬蒿；
嶺南的荔枝花寂寞地憔悴，
盡那邊，我蘸着南海沒有漁船的苦水……

無形的手掌掠過無限的江山，
手指沾了血和灰，手掌黏了陰暗，
祇有那遼遠的一角依然完整，
溫暖、明朗、堅固而蓬勃生春。
在那上面，我用殘損的手掌輕撫，
像戀人的柔髮，嬰孩手中乳。

我把全部的力量運在手掌，
貼在上面，寄與愛和一切希望，
因爲祇有那裡是太陽，是春，
將驅逐陰暗，帶來甦生，
因爲祇有那裡我們不像牲口一樣活，
螻蟻一樣死，……那裏，永恆的中國！

一九四二年七月三日

【賞析】

據余光中先生「評戴望舒的詩」一文所述，戴氏的詩可分爲五類，其中有一類是反映家變、鄉愁、國難的現實面。本詩就是抗戰期間，戴氏被日軍逮入牢中之作。

身爲早期象徵派詩人，戴氏的作品水準並不整齊，有時境界是空虛而非空靈，有朦朧和抽象的毛病；有時使用語言不是陷於歐化，便是落入舊詩的老調。當然，戴氏眞正達到圓融可讀的作品，不但詩情很醇，也注重形式美，呈現出一種可以意會的迷濛之美，帶著陰柔雅麗的風格。這首詩就具備了上述成功的條件。

讀這首詩，彷彿看見作者身在獄中，用手掌撫摸著地圖，腦海裏浮現出烽火遍地的中國。就主題而言，他用「灰燼」、「血和泥」形容國土殘破；「血和灰」、「陰暗」形容淪陷區的恐怖，「溫暖」、「明朗」、

「蓬勃生春」形容大後方的希望；以「太陽」、「春」將「驅逐陰暗」發抒扭轉乾坤、光復失土的堅定信念。其次，他運用豐富的想像力，讓平面圖上的西湖、長白山、黃河、江南、嶺南各地顯出生命力。在那片土地上，儘管風土氣候、自然景觀都不一樣，但在作者的心目中是神聖不容輕侮的，這是對國家的大愛。這個段落也講究辭藻修飾和押韻等形式美。此外，作者用「牲口一樣活」、「螻蟻一樣死」比喻牢中的絕望，用「戀人的柔髮」、「嬰孩手中乳」比喻充滿希望。也顯得十分貼切。

【附錄】

雨巷（這是戴氏早期的代表作，有人因而稱他為「雨巷」詩人。）

撐著油紙傘獨自
彷徨在悠長悠長
又寂寞的雨巷
我希望逢著
一個丁香一樣的
結著愁怨的姑娘

她是有丁香一樣的顏色，
丁香一樣的芬芳。

在雨中哀怨，
哀怨又徬徨。

她徬徨在這寂寞的雨巷，
撐著油紙傘，
像我一樣地
默默彳亍著，
冷漠，淒清，又惆悵。

她默默地走近
走近，又投出
太息般的眼光。
她飄逝
像夢一般地
像夢一般地淒婉迷茫。

像夢中飄過
一般丁香地

我身旁飄過這女郎；
她靜默地遠了，遠了，
到了頹圮的籬牆，
走盡這雨巷。

在雨的哀曲裏，
消了她的顏色，
散了她的芬芳，
消散了，甚至她的
太息般眼光，
她丁香般的惆悵。

撐著油紙傘，獨自
彷徨在悠長，悠長
又寂寞的雨巷，
我希望飄過
一個丁香一樣地
結著愁怨的姑娘。

㈡影　子

徐　訏

【作者】

徐訏（音ㄒㄩ），號伯訏，筆名徐于，東方既白，浙江慈谿縣人。

清光緒三十四年（西元一九〇八年），徐訏生。

民國二十年（西元一九三一年），二十四歲，「國立北京大學」哲學系畢業，又轉攻心理學系兩年。

民國二十二年（西元一九三三年），二十六歲，到上海幫林語堂編「論語」半月刊。（二十一年創刊，以小品、雜感文章爲主）

民國二十三年（西元一九三四年），二十七歲，林語堂於上海創辦「人間世」半月刊（風格和「論語」半月刊相同），他又任編輯。

民國二十四年（西元一九三五年），二十八歲，林語堂與其兄林憾廬在上海創辦「宇宙風」半月刊（風格與前兩項刊物相同），他仍任編輯。

民國二十五年（西元一九三六年），二十九歲，赴法國研究哲學。

民國二十六年（西元一九三七年），三十歲，抗戰爆發，輟學回香港，繼續出版「宇宙風」月刊。

民國三十一年（西元一九四二年），三十五歲，任重慶「國立中央大學師範學院」教授。

民國三十二年（西元一九四三年），三十六歲，作品風靡一時，當時重慶有人稱這一年爲「徐訏年」。

民國三十三年（西元一九四四年），三十七歲，任「掃蕩報」駐華盛頓特派記者，寫了很多新詩。

民國三十五年（西元一九四六年），三十九歲，回到國內。

民國三十九年（西元一九五〇年），四十三歲，到達香港，除寫作外，先後在香港中文大學、馬來西亞南洋大學任教，後來擔任香港「浸會學院」文學院院長兼中文系主任。

民國六十九年（西元一九八〇年），七十三歲，死於美國。

民國二十六年，徐訏在香港「宇宙風」月刊發表中篇小說「鬼戀」，以虛幻飄渺的方式，敘述男女愛情故事，大受後方及上海讀者歡迎，於是傾心寫作，先後完成「吉布賽的誘惑」「風蕭蕭」「江湖行」等小說，有些仍然描寫戀情，有些則寫盡了抗戰期間各種人物的形態與悲歡。

民國三十七年，徐訏四十足歲，在上海出版了五本詩集—「進香巢」、「借火集」、「幻襲集」、「燈籠集」、「鞭痕集」，總名爲「四十詩綜」，收集民國二十六年至三十七年的詩。

除了小說和詩以外，徐訏在其他方面也很有成績。正中書局曾替他出版全集，分爲詩歌、小說、小品文、散文、劇作、論著等六部分。

【題解】

徐訏年輕時醉心於哲學，思辨明晰，想像豐富，又有高度的美感要求，所以他的詩跟小說一樣，充滿迷幻的想像，以及優美的詞藻；加上內容大部份是言情的，對於國難的感受並不多見，後人常常引以爲譏，說他近於風花雪月，飄忽而不眞實。可是也有人認爲他的詩鏗鏘自然，富於辭藻而音節有序，忠於感受而親切悅人，兼有聞一多的嚴謹以及徐志摩的輕靈，而稱之爲「新古典主義」。

「影子」是篇小詩，辭淺而意渺，正是徐訏發揮高度想像力的作品。

【本文】

跟著！跟著！
一直跟著！
我知道你是我的影子。
「如果你急，
請上前吧。」
「不，除非你
背著光亮走去。」

【賞析】

影子，這麼平凡的一件事物，可曾讓你留意過？在詩人敏銳的心靈裏，即使是抓不著的自己的身影，都是那樣的眞切實在。

影子緊迫地催促著詩人，讓詩人喘不過氣來。忍著，忍著……他受不了了，他厭煩了，他發出了惱怒的抗議，激切而突然。

詩人也知道影子是揮不去的，可是禁不住仍要吶喊出聲，只因壓力實在太大，心緒實在太煩了。奈何影子無心，不解詩人情緒，還不知趣的提出要求。恰似不堪糾纏的母親，忽地轉身，本來決意要擺脫的，可是面對純稚的孩兒，那還忍心呢？

負荷，是免不了的，人只要向著光亮，一定要背負它；除非，「背著光亮走去」。

【討論】

△這首詩的主旨是什麼呢？

(三) 畫像

徐訏

【題解】

「畫像」是民國三十一年九月三十日在重慶所寫的，當時作者三十五歲。與「影子」相同，「畫像」也是徐訏的詩作中寫實成份較多的，但在詩人想像力的驅使之下，其意趣仍十分幽杳；正因爲有這份幽杳，才使得文字更耐人咀嚼。它沒有「影子」嚴肅的主題，有的只是少女的清純與想像，驕矜與煩惱，以及詩人的無奈與惆悵。

【本文】

我悟到禁果在你面頰上，

陪襯你正直的鼻樑，
使我回憶遙遠的過去，
有許多無爲⑴的惆悵。

在繁星的秋夜，
誰代替了虛僞的月亮，
是你無邪的眼光，
充滿了人生的想像。

從此我討厭人說，
你心底蘊藏著新蜜舊釀，
因爲在你沈默的唇中，
我瞭解有冷艷的花香。

誰說是眉心的驕矜，

把你點化成超脫的神像，
那柔髮編成的小辮，
還象徵你煩惱的花樣。

一九四二、九、三〇　重慶

【注釋】

(1)無爲—無奈。

【賞析】

這首詩主要是敍述由畫像所引起的追憶與惆悵，後三段所寫的形貌，既是畫像的形貌，也是往日少女的形象，只是其中的心緒與感情，不知如今安在？

詩中的形貌，面頰與鼻樑是勾起回憶的橋樑，如果沒有面頰泛出青春作烘托，光憑鼻樑來勾起回憶，那就太突兀了！接著出現眼光、唇、眉心、小辮，則分別顯現了少女的無邪與想像、冷默與艷麗；同時，也流露出作者幾近忘情的愛慕。

首先，詩人接受面頰的誘引、鼻樑的勾發，投向了畫像的主人—昔日純眞超俗的少女，去細細端詳，細細思量：若非有心人，如何能發現眼光中的無邪與想像，以及唇中的冷艷與小辮裏的煩惱？如非癡情漢，怎麼會討厭別人對她的批評？隨著詩人的專情，少女無邪驕矜，而又帶著煩惱的心緒躍然而現，蓋過了形貌，把讀者引入另一種清新的領域，也使整首詩的重心離開粗淺的表層，不致流於鄙俗。可是青春是年輕人的，傾慕也是年輕時代的，等到時過境遷（當時作者三十五歲），除了面對畫像，悵然回憶，還能如何？

作者把詩題爲「畫像」，以畫像中的形貌替代眞實的形貌，除了表示一切已成追憶，只能惆悵之外，也暗示此情長相左右，而點出了惆悵的原因。它呈現給讀者的，不是對艷麗個體的歌頌，而是對個中情懷的專注與無奈，給人以神聖脫俗的感覺。

一五　晨　夢

豐子愷

【作者】

豐子愷，浙江崇德縣人。

清德宗光緒二十四年（西元一八九八年）生。

民國八年（西元一九一九年），二十二歲，剛從「浙江省立第一師範學校」畢業，即與徐力民結婚。

民國十年（西元一九二一年），二十四歲，赴日本東京留學。

民國十一年（西元一九二二年），二十五歲，任「春暉中學」校長。

民國十四年（西元一九二五年），二十八歲，與夏丏尊等人在上海創辦「立達學園」。

此後先後任教於「上海大學」，「浙江大學」，以及「復旦中學」、「澄衷中學」。

民國三十一年（西元一九四二年），全家遷往重慶，任教於「國立藝術專科學校」，並寫稿賣畫爲生，相當清苦。

民國三十四年（西元一九四五年），全家遷到上海。

後來在文革期間，被指爲「毒草」而遭批鬥。

豐子愷文學、音樂、美術都好，翻譯也頗有收穫，著有「漫畫阿Q正傳」、「音樂入門」、「緣緣堂隨筆」、「西洋美術史」等，並譯有「苦悶的象徵」、「獵人筆記」等

【題解】

豐子愷的散文，取材平常而切近，筆調平直清新，且含有深遠的道理，讀了常使人「會心一笑」，卻又不敢輕忽。這主要是由於他不只是文學家，他也具有藝術家的灑脫以及哲學家的悲憫。

本文選自「緣緣堂隨筆」，借著「晨夢」，說明人生不可如夢，那只是「假我」，應發出「正念」，找尋「眞我」。

【本文】

我常常在夢中曉得自己做夢；晨間，將醒未醒的時候，這種情形最多。這不是我一人獨有的奇癖，講出來常常有人表示同感。

近來尤多經驗這種情形。我妻到故鄉去作長期的歸寧，把兩個小孩留剩在這裏，交託我管。我每晚要同他們一同睡覺；他們先睡，九點鐘安靜，我開始讀書，作文，往往過了半夜，才攢進他們的被窩裏。天一亮，小孩子就醒，像鳥兒地在我耳邊喧聒，又不絕地催我起身，然這時候我正在晨夢，一面隱隱地聽見他們的喧聒，一面作夢中的遨遊。他們叫我不醒，將嘴巴合在我的耳朵上，大聲疾呼「爸爸！起身了！」立刻把我從夢境裏拉出。有時我的夢正達於興味的高潮，或還沒有告段落，就回他們話，叫他們再唱一曲歌，讓我睡一歇，連忙蒙上被頭，繼續進行我的夢遊。這的確會繼續進行，甚至打斷兩三次也不妨，不過那時候的情形很奇特：一面尋找夢的頭緒，繼續演進，一面又能隱隱地聽見他們的唱歌聲的斷片；即一面在熱心地做夢中的事，一面又知道這是虛幻的夢。有夢遊的假我，同時又有伴小孩子睡覺的眞我。

但到了孩子大哭，或夢完結了的時候，我也就毅然地起身了。披衣下牀，「今日有何要務」的眞我的正念凝集心頭的時候，夢中的妄念立刻被排出意外，誰還留戀或計較呢？

「人生如夢」，這話是古人所早已道破的，又是一切所痛感而承認的，那末我們的人生，都是——同我的晨夢一樣——在夢中曉得自己做夢的了！這念頭一起，疑惑與悲哀的感情就支配了我的全體，使我終於無可自解，無可自慰，往往沒有窮究的勇氣，就把牠暫擱在一旁，得過且過地過幾天再說。這想來也不是我一人的私見，講出來一定有許多人表示同感罷！

因爲這是衆目昭彰的一件事：無窮大的宇宙的七尺之軀，與無窮久的浩劫中的數十年，而能上窮星界的秘密，下探大地的寶藏，建設詩歌的美麗的國土，開拓哲學的神秘的境地。然而一到這脆弱的軀殼損壞而朽腐的時候，這偉大的心靈就一去無跡，永遠沒有這回事了。這個「我」的兒時的歡笑，青年的憧憬，中年的哀樂，名譽，財產，戀愛……在當時何等認眞，何等鄭重；然而到了那一天，全沒有「我」的一回事了！哀哉，「人生如夢」！

然而回看人世，又覺得非常詫異在我們以前，「人生」已被反覆了數千遍，都像曇花泡影地倏現倏滅。大家一面明明知道自己也是如此，一面卻又置若不知，毫不懷疑地熱心做人——做官的熱心辦公，做兵的熱心體操，做商的熱心算盤，做教師的熱心上課，做車夫的熱心拉車，做廚房的熱心燒飯……還有做學生的熱心求知識，以預備做人，——這明明是自殺，慢性的自殺！這便是爲了人生的飽暖的愉快，戀愛的甘美，爵祿富厚的榮耀，把我們騙住，致使我們無暇回想，流連忘返，得過且過，提不起窮究人生的根本的勇氣，糊塗到死。

「人生如夢」！不要把這句話當作文學上的裝飾的麗句！這是當頭的棒喝！古人所道破，我們所痛感而承認的。我們的人生的大夢，確是——同我的晨夢一樣——在夢中曉得自己做夢的。我們一面在熱心地做夢中的事，一面又知道這是虛幻的夢；我們有夢中的假我，又有本來的「眞我」。我們毅然起身，披衣下牀，眞我的正念凝集於心頭的時候，夢中的妄念立刻被置之一笑，誰還留戀或計較呢？

同夢的朋友們！我們都有「眞我」的，不要忘記了這個「眞我」，而沈酣於虛幻的夢中！我們要在夢中曉得自己做夢，而常常找尋這個「眞我」的所在。

【結構】

用簡要文字，完成左表：

	假我	眞我	邪念	正念
晨夢				
人生大夢				

【討論】

一、豐子愷所謂「人生如夢」的含意是什麼？所謂「人生大夢」如同「晨夢」，又是什麼意義？

二、豐子愷何以說「熱心做人」是「慢性的自殺」？

三、豐子愷所謂的「眞我」是什麼？

一六　近代美學的基本理論

朱光潛

【作者】

朱光潛，字孟實，安徽桐城縣人。

清德宗光緒二十四年（西元一八九八年）生。

民國十二年（西元一九二三年），二十六歲，「香港大學」畢業，赴英國「愛丁堡大學」研究文學、哲學。

獲碩士學位後，又往法國修得「士錯士巴利大學」文學博士學位。

民國二十年（西元一九三一年），三十四歲，回國。

其後數年，先後任教於「清華大學」「北京大學」「四川大學」等。

民國二十七年（西元一九三八年），四十一歲，任「武漢大學」教務長，兼外文系主任。

民國三十四年（西元一九四五年），四十八歲，任「北京大學」外文系主任。

大陸淪陷後，其美學理論屢遭批判。

朱光潛著有「談美」「文藝心理學」「詩論」「談文學」「給青年的十二封信」等書，對於我國的文藝美學，有很大的貢獻。

【題解】

本文選自「近代美學與文學批評」一文，該文是「詩學」裏的一篇，把相關的美學觀點及批評理論，作了簡要具體的介紹。

在本文當中，朱光潛認爲近代美學的最大功用在於「分析美感經驗」，於是他把「美感經驗」作了精要的分析。

首先，他分別從「物」與「我」兩方面，來說明「美感經驗」產生時，「物」所呈現的只是「形相」，不牽涉到「物」的實質、成因、效用、價值等等，而「我」所用的「知」的方式，則是「直覺」，而不是「知覺」與「概念」。但是，就「美感經驗」的產生過程而言，則常常要經過「知覺」與「概念」的奠基，才能造就「直覺」的深度。（「直覺」不是第一眼的感覺，參考注(2)。）

其次，他就「美感經驗」所以會產生一方面——也就是「形相」怎麼跟「直覺」結合起來這方面，說明「物」「我」合一時才產生「美感經驗」。這完全是「我」的「移情作用」，「物」是被動的；而這一「移情作用」，則又依個人的「性分」有所不同。所以，就「直覺」的能力而言，是必須有相當的藝術修養作基礎，才能發現「形相」的美感的。（「直覺」不是先天具有的能力。）

【本文】

近代美學最大的功用在分析美感經驗。什麼叫做美感經驗呢？我們已經說過，「美感的」和「直覺的」是同義字，美感經驗可以說是「形相的直覺」。懂得這一條原則，我們對於近代美學就算是抓住頭腦，其餘枝節問題就不難迎刃而解了。

什麼叫做形相的直覺呢？

無論是藝術或是自然，如果一件事物叫你覺得美，它一定能在你心眼中現出一種很具體的境界，或是一幅很新鮮的圖畫，而這種境界或圖畫必定能在霎時(2)中霸佔住你的意識，使你聚精會神地觀賞它，領略它，以至把它以外的一切事物都暫時忘去，這就是美感經驗。在這種經驗中，心所以接物的是直覺(2)，物所以呈現於心的是形相。

心知物的活動除直覺以外，我們在上文已說過，還有知覺和概念(3)，物可以呈現於心的除形相外，還有許多與它有關係的事項如實質，成因，效用，價值等等。在美感經驗中，心所以接物者是直覺而不是知覺和概念，物所以對我者是它的形相本身而不是與它有關係的事項，如實質，成因，效用和價值等等，這就是美感經驗的特徵。

這番話很抽象，現在舉一個實例來說明。

比如說你在看一棵梅花。同是一棵梅花，可以引起三種不同的態度：看到梅花，你就想到它的名稱，在植物分類學中屬於某一門某一類，它的形態有那些特質，它的生長需要那些條件，經過那些階段，這裏你所取的是科學的態度；看到梅花，你就想起它值多少錢，有什麼效用，想買它或是賣它，想拿它來點綴園亭或是贈送親友，這裏你所取的是實用的態度。科學的態度祇注重梅花的實質特徵和成因，除開實質特徵和成因，梅花對科學家便無意義。實用的態度祇注重梅花的效用，除開效用，梅花對實用人便無意義。但是梅花除了實質特徵成因效用等等以外，是否還有什麼呢？換句話說，假如你不認識梅花，對梅花沒有絲毫的知識，不知道它的種類特徵，不知道它的效用，你能否還看見什麼呢？這個問題是很易回答的，你當然還可以看見叫做「梅花」的那麼一種東西在那裏，這就是說，你還可以看見梅花的形相。

在實際上我們認識梅花太熟了，我們知道它和其他事物的關係太多了，我們一看見它就引起許多關於它的聯想，就想到它的特徵效用等等，以至於把它本來的形相都完全忽略過去了。通常我們對於一件事物，經驗愈多，知識愈豐富，聯想也就愈難，要把它的關係一齊丟開而專去注意它的形相本身，也就愈難。比如見到梅花，把它和其它事物的關係一齊截斷，把它的意義一齊忘去，使它祇有一個赤裸裸的形相存在那裏，無所爲而爲地去觀照它，欣賞它，這就是我們在上文所說的：「在美感經驗中，物所以對我者是形相，不是實質成因效用價值等等。」

再就心理活動來說，你看見梅花就認識它是某一種植物，就知道它在某一時候開花，有什麼特徵和效用，這就是明白它的意義，就是對於它有知覺和概念，上文所說的實用態度和科學態度就不外用知覺和概念兩種知的活動，這都是從事物的形相本身跳到它的關係上去，從A跳到B而釀成「A爲B」式的知識。美學上所謂直覺就是直接覺到形相本身，不從A跳到與A有關係的B上面去，意識完全籠照在形相本身上，不旁遷他涉，不起聯想，不加思索，這就是我們在上文所說的：「在美感經驗中我所以接物者是直覺而不是知覺和概念。」

在這裏我們應該打消一個誤解。有人聽到我們否認美感經驗帶有任何概念的思考，一定起來反對說：要欣賞一件文藝作品決不能不先了解它的意義，要了解它的意義，豈能不用概念的思考？比如讀一首詩，我們決不能馬上就把它當成一個意象懸在心眼前，必定先懂得詩中每字每句的意義，分析它的音韻方面的技巧，知道詩人在什麼一種情境做成了它，這就是用概念的思考，這就是取科學的態度了。這番話絲毫不錯，不過和我們的主旨並不衝突，我們祇是說：美感的經驗之中，不能有概念的思考，讀詩時用心思索分析，是美感經驗的預備，而不是它的本身；對於一首詩用心研究，一旦豁然貫通，全詩的意象像靈光一現似的現在眼前，叫我們霎時間心曠神怡，忘懷一切，那纔是眞正的美感的經驗。（中略）

我們把美感經驗中的我和物分開來說，祇是爲解釋便當起見，其實我和物的分別在美感經驗中並不存在，美感經驗的最大特徵就是物我兩忘；我們祇有在注意不專一的時候，纔很明白的察覺我和物是兩件事，如果心中祇有一個意象，我們便不覺得我是我，物是物，便把整個的心靈寄託在那個孤立絕緣的意象上，於是我和物便打成一片，我的生命便是物的生命，物的生命也便是我的生命。

舉一個最簡單的例子來說。我們看賽跑看到聚精會神時，常躍躍欲試地跟著賽跑者跑。在平時，我們何嘗不明白；自己不是賽跑者而要跟著跑有些可笑？但是在當時心裏祇有「跑」的一個意象，把自己是旁觀者和賽跑者另是一個人種種事實都一起忘去，便不知不覺地把自己看作一個賽跑者而跟著跑了。凡是美感經驗都是像這樣的聚精會神。比如我們看「水滸」看到武松過崗殺虎時，便提心吊膽地盼他的收場，後來他成功了，我們和他感到同樣的快慰。再比如看一座高山，我們彷彿覺得它從平地站起來，挺著一個雄壯峻峭的身軀在那裏很鎭定的，驕傲地俯視一切，同時我們自己也肅然起敬，豎起頭腦，挺起腰幹，板起面孔，彷彿在模倣山的神氣和姿態，在這個時候，我們把我和山的分別忘去，我們一方面把在我們的雄偉鎭定驕傲的氣概移注於山，於是山儼然變成一個人，一方面又把山的巍峨峭拔的姿態吸收於我，於是人也儼然變成一座山。

這種物我同一的現象就是近代美學家所說的「移情」作用（empathy）。移情作用是原始人和嬰兒的看世界方法，也可以說是詩人和藝術家的看世界的方法，因爲有移情作用，無生命無感情的事物可以變爲有生命有情感的。在移情作用中，人情和物理打成一片，物的形相變成人的情趣的返照，因此，物的意蘊深淺與人的性分深淺成正比例；深人所見於物者亦深，淺人所見於物者亦淺。比如同是一朵花，我看它覺得它微笑，你看它覺得它凝愁帶恨，在另一個明心慧眼的人看來，它也許象徵人生和宇宙的妙諦。一朵花如此，一切事物也都如此，微塵中能否見出大千，全看人的性分何如。

【注釋】

(1)霎時—這「霎時」並不是第一眼或最先的感覺；要產生這一「霎時」，還得有一些準備的過程先進行。（下文會提到）

(2)直覺—對於外界的事物，只「知」其「形相」，而不牽涉到它的實質、功能等等。比如一朵花，你不知其名，其功用，但仍對它有所「知」，這就是「直覺」。（不是對事物的第一個感覺）

(3)概念—超形相的一種「知」，比「知覺」更成熟。比如聽到有人說「書」，你馬上就能想到有關書的各種因素，這就是你對「書」有了「概念」。

【結構】

依左列表示，把文意歸納出來：

一、「知」的活動：

	態度	對象	例子（自己造一個）
直覺			
知覺			
概念			

二、「美感經驗」——「形相的直覺」：

	分開來講	合起來說
我		
物		

【討論】

一、「形相的直覺」是什麼？它何以能產生「美感經驗」呢？

二、「直覺」既要有「知覺」「概念」的基礎，又要擺脫「知覺」與「概念」的聯想，是否矛盾呢？

三、一般人常誤以為「直覺」是對「物」的第一個感覺，是不須培養的先天能力，請依朱光潛提到的加以糾正。

一七 雅舍

梁實秋

【作者】

梁實秋，原名治華，筆名希臘人、秋郎等，北平人。

清光緒二十八年（西元一九〇二年），十二月八日，生於北京。

民國四年（西元一九一五年），十四歲，畢業於京師公立第三小學，考入清華學校。

民國十二年（西元一九二三年），二十二歲，清華學校畢業，赴美插入科羅拉多大學英語系四年級。

民國十三年（西元一九二四年），二十三歲，大學畢業，赴哈佛大學及哥倫比亞大學研究院各肄業一年。

民國十五年（西元一九二六年），二十五歲，回國，應聘爲國立東南大學教授。

民國十六年（西元一九二七年），二十六歲，與績溪程季淑女士結婚。是年北伐軍興，東南大學解散，乃旅寓滬濱，任教國立暨南大學。新月書店於此時成立，刊行新月雜誌，參預其事約近三年。

民國十九年（西元一九三〇年），二十九歲，轉青島，任國立青島大學外文系主任兼圖書館館長。

民國二十年（西元一九三一年），三十歲，開始莎士比亞全集之翻譯工作。

民國二十三年（西元一九三四年），三十三歲，任國立北京大學研究教授兼外文系主任。

民國二十六年（西元一九三七年），三十六歲，參加廬山會議。

民國二十七年（西元一九三八年），三十七歲，膺選爲國民參政會參政員。後隨政府入川，任教育部教科書編輯委員會教科書組主任，後併入國立編譯館，改任翻譯委員會主任兼社會組主任。

民國三十五年（西元一九四六年），四十五歲，至國立北京師範大學任教。

民國三十七年（西元一九四八年），四十七歲，南遊避禍。

民國三十八年（西元一九四九年），四十八歲，在廣州國立中山大學任教半年。六月來臺灣，任省立師範學院教授，先後當過英語系主任，英語研究所主任，文學院院長。

民國五十五年（西元一九六六年），六十五歲，辭退教職，全力翻譯莎士比亞戲劇。

民國五十六年（西元一九六七年），六十六歲，三十七齣莎士比亞戲劇完成出版，旋又補譯詩三卷。

民國五十七年（西元一九六八年），六十七歲，偕季淑遊美，補作蜜月旅行。返臺後開始計畫英國文學史之編寫。

民國六十一年（西元一九七二年），七十一歲，與季淑再度赴美定居。

民國六十三年（西元一九七四年），七十三歲，季淑逝世，埋在西雅圖之槐園墓地，五十年之家庭生活告一段落，其事具見「槐園夢憶」一書。

民國六十四年（西元一九七五年），七十四歲，與黃陂韓菁清女士在臺北結婚。

民國七十六年（西元一九八七年），八十六歲，逝世。

梁實秋先生生平無所好，惟好交友，好讀書，好議論。研究英國文學，造詣深邃，述學文章緜密精鍊，小品文則活潑生動，機趣洋溢。

他的著作有「浪漫的與古典的」、「文學的紀律」、「文藝批評論」、「約翰孫」、「偏見集」、「

罵人的藝術」、「雅舍小品」。翻譯有「莎士比亞全集」、「織工馬南傳」、「潘彼得」、「咆哮山莊」、「西塞羅文錄」、「阿伯拉與哀綠綺思的情書」、「吉爾菲先生的情史」、「幸福的僞善者」。

【題解】

民國二十八年，梁實秋到四川，居住在北碚「雅舍」的時候最久。這期間，他流離貧病，讀書譯作亦不能像從前那樣順利進行，只有在「星期評論」、「世紀評論」等刊物上發表一些小品文，一直沿用「雅舍小品」的名義，後來輯印成書，即名爲「雅舍小品」。

本文選自「雅舍小品」中的一篇，是作者描繪「雅舍」的可愛與說明其作品冠以「雅舍小品」的原由，我們也可從字裏行間瞭解梁實秋的情性。

【本文】

到四川來，覺得此地人建造房屋最是經濟。火燒過的磚，常常用來做柱子，孤另另的砌起四根磚柱，上面蓋上一個木頭架子，看上去瘦骨嶙嶙，單薄得可憐；但是頂上鋪了瓦，四面編了竹篦⑴牆，牆上敷了泥灰，遠遠的看過去，沒有人能說不像是座房子。我現在住的「雅舍」正是這樣一座典型房子。不消說，這房子有磚柱，有竹篦牆，一切特點都應有盡有。講到住房，我的經驗不算少，什麼「上支下摘」，「前廊後廈」，「

一樓一底」，「三上三下」，「亭子間」，「茆草棚」，「瓊樓玉宇」和「摩天大廈」，各式各樣，我都嘗試過。我不論住在那裏，只要住得稍久，對那房子便發生感情，非不得已我還捨不得搬。這「雅舍」，我初來時僅求其能蔽風雨：並不敢存奢望，現在住了兩個多月，我的好感油然而生。雖然我已漸漸感覺它是並不能蔽風雨，因爲有窗而無玻璃，風來則洞若涼亭，有瓦而空隙不少，雨來則滲如滴漏。縱然不能蔽風雨，「雅舍」還是自有它的個性，有個性就可愛。

「雅舍」的位置在半山腰，下距馬路約有七八十層的土階，前面是阡陌螺旋的稻田，再遠望過去是幾抹蔥翠的遠山，旁邊有高粱地，有竹林，有水池，有糞坑，後面還是荒僻的榛莽未除的土山坡。若說地點荒涼，則月明之夕，或風雨之日，亦常有客到，大抵好友不嫌路遠，路遠乃見情誼。客來則先爬幾十級的土階，進得屋來仍須上坡，因爲屋內地板乃依山勢而鋪，一面高，一面低，坡度甚大，客來無不驚嘆，我則久而安之，每日由書房走到飯廳是上坡，飯後鼓腹而出是下坡，亦不覺有大不便處。

「雅舍」共是六間，我居其二。篦牆不固，門窗不嚴，故我與鄰人彼此均可互通聲息。鄰人轟飲作樂，咿唔詩章，喁喁細語，以及鼾聲，噴嚏聲，吮湯聲，撕紙聲，脫皮鞋聲，均隨時由門窗戶壁的隙處蕩漾而來，破我岑寂。入夜則鼠子瞰(2)燈，纔一合眼，鼠子便自由行動，或搬核桃在地板上順坡而下，或吸燈油而推翻燭臺，或攀援而上帳頂，或在門框棹脚上磨牙，使得人不得安枕。但是對於鼠子，我很慚愧的承認，我「沒有法子」。「沒有法子」一語是被外國人常常引用著的，以爲這話最足代表中國人的懶惰隱忍的態度。其實我的對付鼠子並不懶惰；窗上糊紙，紙一戳就破，門戶關緊，而相鼠有牙，一陣咬便是一個洞洞，試問還有什麼法子？洋鬼子住到「雅舍」裏，不也是「沒有法子」。比鼠子更騷擾的是蚊子，「雅舍」的蚊風之盛，是我前所未見的，「聚蚊成雷」眞有其事；每當黃昏時候，滿屋裏磕頭碰腦的全是蚊子，又黑又大，骨骼都像是硬的。在別處蚊子早已肅清的時候，在「雅舍」則格外猖獗，來客偶不留心，則兩腿傷處累累隆起如玉蜀黍，但是我仍安之。冬天一到，蚊子自然絕跡，明年夏天——誰知道我還是住在「雅舍」！

「雅舍」最宜月夜——地勢較高，得月較先。看山頭吐月，紅盤乍湧，一霎間，清光四射，天空皎潔，四野無聲，微聞犬吠，坐客無不悄然！舍前有兩株梨樹，等到月升中天，清光從樹間篩⑶灑而下，地上陰影斑斕，此時尤爲幽絕。直到興闌人散，歸房就寢，月光仍然逼進窗來，助我淒涼。細雨濛濛之際，「雅舍」亦復有趣，推窗展望，儼然米氏章法⑷，若雲若霧，一片瀰漫。但若大雨滂沱，我就又惶悚不安了，屋頂濕印到處都有，起初如碗大，俄而擴大如盆，繼則滴水乃不絕，終乃屋頂灰泥突然崩裂，如奇葩初綻，砉然⑸一聲而泥水下注，此刻滿室狼藉，搶救無及，此種經驗，已數見不鮮。

「雅舍」之陳設，只當得簡樸二字，但灑掃拂拭，不使有纖塵。我非顯要，故名公巨卿之照片不得入我室；我非牙醫，故無博士文憑掛壁間；我不業理髮，故絲織西湖十景以及電影明星之照片亦均不能張我四壁。我有一几一椅一榻，酣睡寫讀，均已有著，我亦不復他求。但是陳設雖簡，我卻喜歡翻新佈置。西人常常譏笑婦人喜歡變更棹椅位置，以爲這是婦人天性喜變之一徵。誣否且不論，我是喜歡改變的。中國舊式家庭，陳設千篇一律，正廳上是一條案，前面一張八仙棹，一邊一把靠椅，兩傍是兩把靠椅夾一隻茶几。我以爲陳設宜求疏落參差之致，最忌排偶。「雅舍」所有，毫無新奇，但一物一事之安排佈置俱不從俗。人入我室，即知此是我室。笠翁閒情偶記⑹之所論，正合我意。

「雅舍」非我所有，我僅是房客之一，但思「天地者萬物之逆旅」，人生本來如寄，我住「雅舍」一日，「雅舍」即一日爲我所有，即使此一日亦不能算是我有，至少此一日「雅舍」所能給予之苦辣酸甜，我實躬受親嘗。劉克莊詞：「客裏似家家似寄。」我此時此刻卜居「雅舍」，「雅舍」即似我家，其實似家似寄，我亦分辨不清。

長日無俚，寫作自遣，隨想隨寫，不拘篇章，冠以「雅舍小品」四字，以示寫作所在，且誌因緣。

【注釋】

(1)竹篦—用竹子編成片，像梳篦一般。篦，音ㄅㄧˋ，去髮垢之細梳子。

(2)噉—音ㄉㄢˋ，吃。

(3)篩—音ㄕㄞ，東西由孔裏漏下去。

(4)儼然米氏章法—像是宋畫家米芾（ㄈㄨˊ）畫中的山水。

(5)砉然—東西脫離的聲音。砉，音ㄏㄨㄛˋ。

(6)笠翁閒情偶記—清李漁，字笠翁，作有閒情偶記，敘述戲曲之結構、詞采、音律、賓白、科諢、格局等。

【結構】

請依提示，整理出「雅舍」之個性與梁實秋對該個性之態度

	個性	態度
位置		
蚊子		
月色		
雨		
擺設		

【問題】

△「雅舍」有那些事物令梁實秋覺得可愛？看完全文後，能否發現，梁氏在性情上有什麼特殊，才使他到處覺得住屋可愛，而有了感情？

一八　桂花蒸「阿小」悲秋　節錄

張愛玲

【作者】

張愛玲，筆名梁京，原籍河北省豐潤縣。民國十年（西元一九二一年）出生於上海，不久就住到北平去。

年幼時，可能因為對她父親不滿，她母親遠涉重洋去歐洲留學。民國十八年（西元一九二九年），她母親遊學歸來，夫妻言歸於好，她家又搬到上海，生活也恢復了正常。

讀中學期間，父母又失和，最後離異了。失去母愛的深刻苦痛，加上父親重婚的打擊，使她陷入苦悶之中。於是她藉著用功讀書來忘掉煩惱，同時也幻想以寫作來成名。

中學畢業那年（西元一九三七年），十七歲，她母親從歐洲回到上海，經過一番力爭之後，她才和母親住在一起。後來，她考取了倫敦大學的入學考試（在上海舉行），但因歐戰關係，無法成行，改入香港大學。

民國三十一年（西元一九四二年），二十二歲，太平洋戰爭爆發。香港淪陷後，張愛玲返回上海，開始從事寫作。她的成名作「傾城之戀」發表於袁殊主辦的「新中國」上。她也經常在「雜誌」、「萬象」、「天地」等月刊上發表文章，是當時上海文壇極為出色的女作家。曾出版小說集「傳奇」（增訂本題名為「張愛玲短篇小說集」），和散文集「流言」。

民國三十三年（西元一九四四年），二十四歲，她和胡蘭成結婚。抗戰勝利後，和胡蘭成分手，她的作品越多，而她的名氣也越大了。大陸淪陷後，她以「梁京」的筆名在上海「亦報」再寫小說。一九五二年，三十二歲，由上海逃抵香港，替「今日世界」雜誌寫小說。其後移居美國，在「加州柏克萊大學中文研究中心」工作。目前仍任職於該校。

雖然她早年的生活並不快樂，但是她沒有自怨自艾，反而善於捕捉人生的樂趣，安於享受。另一方面，她對人世的種種，卻又喜歡以悲憫的眼光去觀看。藉著對心理的細膩描寫，以及對白、隱喻的圓熟運用，她把故事的內涵變得更充實。在中國現代小說界裏頭，她的作品具有不可忽視的分量。

她的著作，除了前述兩本之外，尚有：「秧歌」、「赤地之戀」、「怨女」、「半生緣」、「張看」、「紅樓夢魘」。譯有：「老人與海」、「鹿苑長春」等。

【題解】

這篇小說是從「張愛玲短篇小說集」裏選出來的。故事的背景在上海，主要人物「阿小」是在洋人家裏工作的阿媽；她是一位淳樸又愛家的鄉下女人，一心一意只盼望兒子成材。和她對比的，是那個無情、放蕩，而又吝嗇的洋主人─哥兒達。透過雨夜，以及雨夜前一日、後一日，阿小在洋人家裏的所見、所聞、所思，作者表現了阿小的「悲」─也是作者自己的「悲」。文中所出現的人物，除了阿小自己，李小姐，對門一家和雨夜的小販之外，多多少少在品德上都有了「污穢」；就像廚房裏的「蒼蠅」一般。而阿小所「悲」的，除了寄人籬下的無可奈何之外，便是中國人的這一股墮落─在列強侵凌下，卻不知振奮，只圖安逸，不管國家已如風中的搖椅！

【本文】

「秋是一個歌，但是『桂花蒸』的夜像在廚裏吹的簫調，白天像小孩子唱的歌，又熱又熟、又清又濕。」——炎櫻

丁阿小手牽著兒子百順，一層一層樓爬上來。高樓的後陽台上望出去，城市成了曠野，蒼蒼的無數的紅的灰的屋脊，都是些後院子、後窗、後衖堂，連天也背過臉去了，無面目的陰陰的一片——過了八月節了還這麼熱，也不知它是什麼心思。下面浮起許多聲音，各樣的車，拍拍打地毯，學校噹噹搖鈴，工匠搥著鋸著，馬達嗡嗡響，但都恍惚得很，似乎都不在上帝心上，只是耳旁風。

公寓中對門鄰居的阿媽帶著孩子們在後陽台上吃粥，天太熱，粥太燙，撮尖了嘴唇咈嗤咈嗤吹著，眉心緊皺，也不知是心疼自己的嘴唇還是心疼那雪白的粥。對門的阿媽是個黃臉婆，半大腳，頭髮卻是剪了的。她忙著張羅孩子們吃了早飯上學去，她耳邊掛下細細一綹子短髮，濕膩膩如同墨畫在臉上還沒乾。她和阿小招呼：「早呀，妹妹！」孫子們紛紛叫：「阿姨，早！」阿小叫還一聲「阿姐！」百順也叫：「阿姨！阿哥！」

阿小說：「今天來晚了——斷命電車軋得要死，走過頭了才得下來。外國人一定撳

過鈴了(1)！」對門阿媽道：「這天可是發癡，熱得這樣！」阿小也道：「眞發癡！都快到九月了呀！」剛才在三等電車上，她被擠得站立不牢，臉貼著一個高個子人的深藍布長衫，那深藍布因爲骯髒到極點，有一點奇異的柔軟，簡直沒有布的勁道，從那藍布的深處一蓬一蓬發出它內在的熱氣。這天氣的氣味也就像那袍子——而且絕對不是自己的衣服，自己的髒又還髒得好些。

阿小急急用鑰匙開門進去，先到電鈴盒子前面一看，果然，二號的牌子掉了下來了——主人昨天沒有在家吃晚飯，讓她早兩個鐘頭回去，她猜著他今天要特別的疙瘩(2)，作爲補償。她揭開水缸的蓋，用鐵匙子舀水，灌滿一壺，放在煤氣爐上先燒上了——戰時自來水限制，家家有這樣一個缸，醬黃大水缸上面描出淡黃龍。女人在那水裏照見自己的影子，總像是古美人，可是阿小是個都市女性，她甯可在門邊綠粉牆上黏貼著的一隻缺了角的小粉鏡（本來是個皮包的附屬品）裏面照了一照，看看頭髮，還不很毛。她梳著辮子頭，腦後的頭髮一小股一小股恨恨地扭在一起，扭絞得它完全看不見了爲止，方才覺得清爽相了。額前照時新的樣式做得高高的；做得緊，可以三四天梳一梳。她在門背後取下白圍裙來繫上，端過凳子，踩在上面，在架子上拿咖啡，因爲她生得矮小。

「百順！——又往哪裏跑？這點子工夫還惦記著玩！還不快觸祭(3)了上學去！」她

叱喝。她那秀麗的刮骨臉兒起來像晚娘。百順臉團團地，細眉細眼，陪著小心，把一張板凳搬到門外，又把一隻餅乾筒抱了出來，坐在筒上，凳上放了杯盤，靜靜等著。阿小從冰箱上的瓦罐子裏拿出吃剩的半隻大麵包，說：「哪！拿去！有本事一個人把它全吃完了！——也想著留點給別人。沒看見的，這點大的小孩，吃得比大人還多！」

窗台上有一隻藍玻璃杯，她把裏面插著的牙刷拿掉了，熱水瓶裏倒出一杯水，遞與百順，又罵：「樣樣要人服侍！你一個月給我多少工錢，我服侍你？前世不知欠了你什麼債！還不吃了快走！」

百順嘴裏還在咀嚼，就去拿書包，突然，他對於他穿了一夏天的泛了灰的藍布工人裝感到十分疲倦，因此說：「姆媽，明天我好穿絨線衫了。」阿小道：「發什麼昏！這麼熱的天，絨線衫！」

百順走了，她嘆了口氣，想著孩子的學校眞是難伺候，學費加得不得了，此外這樣那樣許多花頭，單只做手工，紅綠紙金紙買起來就嚇人。窗台上，醬油瓶底下壓著他做的一個小國旗，細竹籤上挑出了青天白日滿地紅，阿小側著頭看了一眼，心中只是淒淒慘慘不舒服。

才把咖啡煮了，大銀盤子端整好了，電話鈴響起來，阿小拿起聽筒，撇著洋腔銳聲說：「哈囉？……是的密西，請等一等。」她從來沒聽見過這女人的聲音，又是個新的。她去敲敲門：「主人，電話！」

主人已經梳洗過，穿上衣服了，那樣子是很不高興她。主人臉上的肉像是沒燒熟，紅拉拉的帶著血絲子，新留著兩撇小鬍鬚，那臉蛋便像一種特別滋補的半孵出來的雞蛋，已經生了一點點小黃翅，但是哥兒達先生還是不失爲一個美男子，非常慧黠⑷的灰色眼睛，而且體態風流。他走出來接電話，先咳嗽一聲，可是喉嚨還有些混濁。他問道：「哈囉？」然後，突然地聲音變得極其微弱：「哈囉哦！」又驚又喜，銷魂地，等於說：「是你麼？難道眞的是你麼？」他是一大早起來也能夠魂飛魄散爲情顚倒的。

然而阿小，因爲這一聲迷人的「哈囉哦！」聽過無數遍了，她自管自走到廚房裏去。昨天「黃頭髮女人」請客，後來想必跟了他一起回來的，因爲廚房裏有兩隻用過的酒杯，有一隻上面膩著口紅。女人不知什麼時候走的，他那些女人倒是從來不過夜的。女人去了之後，他一個人到廚房裏吃了個生雞蛋，阿小注意到洋鐵垃圾桶裏有個完整的蛋殼，他只在上面鑿一個小針眼，一吸——阿小搖搖頭，簡直是野人呀！冰箱現在沒有電，不應當關上的，然而他拿了雞蛋順手就關了。她一開，裏面衝出一陣甜鬱的惡氣，她取出乳酪、鵝肝香腸、一隻雞蛋。哥兒達除了一頓早飯在家裏吃，其餘兩頓總是被請出去的時候多。冰箱裏還有半碗「雜碎」炒飯，他吃剩的，已經有一個多禮拜了。她曉得他並不是忘記了，因爲他常常開冰箱打探情形的，他不說一聲「不要了，你把它吃掉罷。」她也決不去問他「還要不要了？」她曉得他的脾氣。

主人掛上電話，檢視備忘錄上阿媽寫下的，他不在家的時候人家打了來，留下的號碼；照樣打了去，卻打不通。他伸頭到廚房裏，漫聲叫：「阿媽，難爲情呀！數目字老是弄不清楚！」豎起一隻手指警戒地搖晃著。阿小兩手包在圍裙裏，臉上露出乾紅的笑容。

他向她孩子吃剩的麵包瞟了一眼，阿小知道他起了疑心。其實這是隔壁東家娘有多餘的麵包票給了她一張，她去買了來的。主人還沒有作聲，她先把臉飛紅了——蘇州娘姨最是要強，受不了人家眉高眼低的，休說責備的話了；尤其是阿小生成那這一副模樣，臉一紅便像是挨了個嘴巴子，薄薄的面頰上一條條紅指印，腫將起來。她整個的臉型像是被凌虐的，秀眼如同剪開的兩長條，眼中露出一個幽幽的世界，裏面「沈魚落雁，閉月羞花」(5)。

主人心中想道：「再要她這樣的一個人到底也難找，用著她一天，總得把她哄得好好的。」因此並不查問，只說：「阿媽，今天晚上預備兩個人的飯，買一磅牛肉。」阿小說：「先煨湯、再把它炸一炸？」主人點點頭。阿小說：「還要點什麼呢？」主人沈吟著，一手支在門框上，一手撐腰；他那雙灰色眼睛，不做媚眼的時候便翻著白眼，大而瞪，瞪著那塊吃剩的麵包，使阿小不安。他說：「珍珠米(6)，也許？」她點頭，說：「珍珠米。」每次都是同樣的菜，好在請的是不同的女人，她想。他說：「還要一樣甜菜，攤兩個煎餅好了。」阿小道：「沒有麵粉。」他說：「就用雞蛋，不用麵粉也行。」甜雞蛋阿小從來沒有聽見過這樣東西，但她還是熟溜地回答：「是的，主人。」

她把早飯送到房裏去，看見小櫥上黃頭髮女人的照片給收拾起來了。今天請的想必就是那新的女人，平常李小姐她們來他連照片也不高興拿開，李小姐人最厚道，每次來總給阿小一百塊錢。阿小猜她是個大人家的姨太太，不過也說不準，似乎太自由了些，而且不夠好看——當然姨太太也不一定都好看。

阿小又接了個電話：「哈囉？……是的密西，請等一等。」她敲門進去，說：「主人電話。」主人問是誰。她說：「李小姐。」主人不要聽，她便替他回掉了：「哥兒達先生『她』在浴間裏！」阿小只有一句「哈囉」說得最漂亮，再往下說就有點亂，而且男性女性的「他」分不大清楚。「對不起密西，也許你過一會再打來？」那邊說「謝謝。」她答道：「不要提。再會密西。」

哥兒達先生吃了早飯出去辦公，臨走的時候照例在房門口柔媚地叫喚一聲：「再會呀，阿媽！」只要是個女人，他都要使她們死心塌地歡喜他。阿媽也趕出來帶笑答應：「再會主人！」她進去收拾房間，走到浴室裏一看，不由得咬牙切齒恨了一聲，哥兒達先生把被單、枕套、襯衫、褲、大小手巾一起泡在洗澡缸裏，不然不放心，怕她不當天統統洗掉它。今天又沒有太陽，洗了怎麼得乾？她還要出去買菜，公寓裏每天只有一個鐘頭有自來水，浴缸被佔據，就誤了放水的時間，而他每天要洗澡的。

李小姐又打電話來，阿小說：「哥兒達先生她去辦公室！」李小姐改用中文追問辦公室的電話號碼，阿小也改口說中文：「李小姐是吧？」笑著，滿面緋紅，代表一切正經女人替這個女人難爲情。「我不曉得他辦公室的電話什麼號頭。……他昨天沒有出去。……是的，在家裏吃晚飯的。……一個人吃的。今天不知道，沒聽見他說……」

黃頭髮的女人打電話來，要把她昨天大請客問哥兒達借的杯盤刀叉差人送還給他，阿小說：「哥兒達先生她去辦公室！……是的密西。我是阿媽。……我很好，謝謝你密西。」「黃頭髮女人」聲音甜得像扭股糖，到處放交情，阿小便也和她虛情假意的，含羞帶笑，彷彿高攀不上似的。阿小又問：「什麼時候你派來阿媽？現在我去菜場，九點半回來也許。……謝謝你密西。……不要提，再會密西。」她迫尖了嗓子，發出一連串火熾的聒噪，外國話的世界永遠是歡暢、富裕、架空的。

她出去買了小菜回來，「黃頭髮女人」的阿媽秀琴—也是她自家的小姊妹，是她託哥兒達薦了去的，在後面拍門，叫：「阿姐！阿姐！」秀琴年紀不過二十一二，壯大身材，披著長長的鬈髮，也不怕熱，藍布衫上罩著件玉綠兔子呢短大衣。能夠打扮得像個大學女生，顯然是稀有的幸運。就連她那粉嘟嘟的大圓臉上，一雙小眼睛有點紅紅的睜不大開（不知是不是痧眼的緣故），好像她自己也覺得有一種鮮華，像蒙古婦女從臉上蓋著的沈甸甸的五彩纓絡⑺縫裏向外界窺視。

阿小接過她手裏報紙包的一大疊盤子，含笑問了一聲：「昨天幾點鐘散的？」秀琴道：「鬧到兩三點鐘。」阿小道：「東家娘後來到我們這裏來了又回去，總天亮以後了。」秀琴道：「哦，後來還到這裏來的？」阿小道：「好像來過的。」她們說到這些事情，臉上特別帶著一種天眞的微笑，好像不在說人的事情。她們那些男東家是風，到處亂跑，造成許多灰塵，女東家則是紅木上的彫花，專門收集灰塵，使她們一天到晚揩拭個不了。她們所抱怨的，卻不在這上頭。

秀琴兩手合抱在胸前，看阿小歸折碗盞，嘟囔道：「我們東家娘同這裏的東家到是天生一對，花錢來得個會花，要用的東西一樣也不捨得買。那天請客，差幾把椅子，還是問對門借的；麵包不夠了，臨時又問人家借了一碗飯。」阿小道：「那她比我們這一位還大方些，我們這裏從來沒有說什麼大請客過，請起來就請一個女人，吃些什麼我說給你聽：一塊湯牛肉，燒了湯撈起來再煎一煎算另外一樣。雞末，珍珠米。客人要是第一次來的，還有一樣甜菜，第二次就沒有了。……他有個李小姐，實在吃不慣，菜館裏叫了菜給他送來。李小姐對他眞是天地良心！他現在又搭上新的了。我看他一個不及一個，越來越不在乎了，今天這一個，連哥兒達的名字都說不連牽。」秀琴道：「中國人麼？」阿小點頭，道：「中國人也有個幾等幾樣……妹妹你到房裏看看李小姐送他的生日禮，一副銀碗筷，曉得他喜歡中國東西，銀樓裏現打的，玻璃盒子裝著，玻璃上貼著紅壽字。」秀琴看著，嘖嘖嘆道：「總要好幾千？」阿小道：「不止！不止！」

（略）

阿小道：「趁著有水，我有一大盆東西要洗呢，妹妹你坐一歇。——天下就有這樣癡心的女人！」她邊在那裏記掛李小姐，彎倒腰，一壁搓洗，一壁氣喘吁吁的說：「會得喜歡他！他一個男人，比十個女人還要小奸小壞，隔壁東家娘多下一張麵包票，我領了一隻麵包來，他還當是他的，一雙眼睛瞄法瞄法，偷東西也偷不到他頭上！他呀，一個禮拜前吃剩下來一點飯還留到現在，他不說不要了」，我也不動他的。『上海這地方壞呀！中國人連傭人都會欺負外國人！』他要不是在上海，外國的外國人都要打仗去的，早打死了！——上次也是這樣，一大盆衣裳泡在水裏，怕我不洗似的，泡得襯衫顏色落得一場糊塗，他這也不說什麼了——看他現在越來越爛污，像今天這個女人，——怎麼能不生病？前兩個月就弄得滿頭滿臉癤子(8)似的東西，現在算好了，也不知塌的什麼藥，被單上稀髒。」

秀琴半天沒搭話，阿小回頭看看，她倚在門上咬著指頭想心思。阿小這就記起來，秀琴的婆家那邊要討了，她母親要領她下鄉去，她不肯。便問：「你姆媽還在上海麼？」秀琴親親熱熱叫了一聲「阿姐」說道：「我煩死了。在這裏！」她要哭，水汪汪的溫厚紅潤的眼睛完全像嘴唇了。

阿小道：「我看你，去是要去的，不然人家說你，這麼大的姑娘，一定是在上海出了花頭。」秀琴道：「姆媽也這樣說呀！去是要去的，去一去我就來，鄉下的日子我過不慣！姆媽這兩天起勁得很，在那裏買這樣買那樣，鬧死了說貴，我說你嘰咕些什麼，棉被枕頭是你自己要撐場面，那些繡花衣裳我在上海穿不出去的。我別的都不管，他們打的首飾裏頭我要一隻金戒指。這點禮數要還給我們的。你看喏，他們拿隻包金的來，你看我定規朝地下一摜！你看我做得出哦？」

她的尊貴驕矜使阿小略略感到不快，阿小同她的丈夫不是「花燭」，這些年來總覺得當初不該就那麼住在一起，沒經過那一番熱鬧。她說：「其實你將就些也罷了，不比往年——你叫他們哪兒弄金子去？」想說兩句冷話也不行，傴僂在澡盆邊，熱得恍恍惚惚，口鼻之間一陣陣刺痛冒汗，頭上的汗往下直流，抬手一抹，明知天熱，還是詫異著。她蹲得低低的，秀琴聞見她的黑膠綢衫上的汗味陣陣上升，像西瓜剖開來清新的腥氣。

秀琴又嘆息：「不去是不行的了！他們的房子本來是泥地，單單把新房裏裝了地板……我心裏煩得要死！聽說那個人好賭呀——阿姐你看我怎麼好？」

阿小把衣服絞乾了，拿到前面陽台去晒。百順放學回來，不敢揿鈴，在後門口大喊：「姆媽！姆媽！」拍著木柵欄久久叫喚，高樓外，正午的太陽下，蒼淡的大城市更其像曠野了。一直等阿小晾完了衣裳，到廚房裏來做飯，方才聽見了，開門放他進來，嗔道：「嘰哩哇啦叫點什麼？等不及似的！」

她留秀琴吃飯，又來了兩個客，一個同鄉的老媽媽，常喜歡來同阿小談談天，別的時候又走不開，又不願總是叨擾人家，自己帶了一籃子冷飯，誠誠心心爬了十一層樓上來。還有個揹米兼做短工的「阿姐」，是阿小把她介紹了給樓下一家洗衣服，她看見百順，問道：「這就是你自己的一個？」阿小對小孩叱道：「喊『阿姨！』」慢迴嬌眼，却又臉紅紅的向朋友道歉似的說：「像個癟三哦？」

現在這時候，很少看得見阿小這樣的熱心留人吃飯的人，她愛面子，很高興她今天剛巧吃的是白米飯。她忙著炒菜，老媽媽問起秀琴辦嫁妝的細節，秀琴卻又微笑著，難得開口，低著粉紅的臉像個新嫁娘，阿小一一代她回答了。老媽媽也有許多意見。

做短工的阿姐問道：「你們樓上新搬來的一家也是新做親的？」阿小道：「嗳。一百五十萬頂的房子，男家有錢，女家也有錢——那才闊呢！房子、傢生、幾十床被窩，還有十擔米，十擔煤，這裏的公寓房子那是放也放不下！四個傭人陪嫁、一男一女，一個廚子，一個三輪車夫。那四個傭人，像喪事裏紙紮的童男童女，一個一個直挺挺站在那裏，一切都齊全，眼睛黑白分明。有錢人做事是漂亮！」阿小愉快起來——這樣一說，把秀琴完全倒壓了，連她的憂愁苦惱也是不足道的。

阿姐又問：「結了親幾天了？」阿小道：「總有三天了罷？」老媽媽問：「新法還是老法？」阿小道：「當然新法。不過嫁妝也有，我看見他們一抬盒一抬盒往上搬。」秀琴也問：「新娘子好看麼？」阿小道：「新娘子倒沒看見。他們也不出來，上頭總是靜得很，一點聲音都沒有。」阿姐道：「從前還是他們看房子的時候我看見的，好像滿胖，戴眼鏡。」阿小彷彿護短似的，不悅道：「也許那不是新娘子。」

老媽媽捧了一碗飯靠在門框上，嘆道：「還是幫外國人家，清清爽爽！」阿小道：「啊呀！現在這個時世，倒是甯可工錢少些，中國人家，有吃有住；像我這樣，叫名三千塊錢一個月，光是吃也不夠！——說是不給吃，也看主人。像對過他們，洋山芋一炒總有半臉盆，大家就這樣吃了。」百順道：「姆媽，對過他們今天吃乾菜燒肉。」阿小把筷子頭橫過去敲他一下，叱道：「對過吃的好，你到對過吃去！為什麼不去？啊？為什麼不去？」百順睞了睞眼，沒哭出來，被大家勸住了。阿姐道：「我家兩個癟三，比他大，還沒他機靈哩！」湊過去親暱地叫一聲：「癟三！」故意兇他：「怎麼不見你扒飯？菜倒吃了不少，飯還是這麼一碗！」阿小卻又心疼起來，說：「讓他去罷！不儘著他吃，一會兒又鬧著要吃點心了。」又向百順催促：「要吃趁現在，待會兒隨你怎麼鬧也沒有了。」

老媽媽問百順：「吃了飯不上學堂麼？」阿小道：「今天禮拜六。」回過頭來一把抓住百順：「禮拜六，一鑽就看不見你的人了？你好好坐在這裏讀兩個鐘頭書再去玩。」百順坐在餅乾筒上，書攤在凳上，搖擺著身體。唱道：「我要身體好，身體好！爸爸媽媽叫我好寶寶，好寶寶！」讀不了幾句便問：「媽媽，讀兩個鐘頭我好去玩了，姆媽，現在幾點啊！」

阿小只是不理，秀琴笑道：「百順一條喉嚨眞好聽，阿姐你不送他去學說書，賺大錢？」阿小怔了怔，紅了臉，淡淡笑了一聲道：「他不行罷？小學畢業還早呢，雖然他不學好，我總想他讀書上進呀！」秀琴道：「幾年級了？」阿小道：「才三年級。留班呀！難爲情哦！」她看看百順，心頭湧起寡婦的悲哀。她雖然有男人，也賽過沒有，全靠自己的。百順被她睃那一眼，卻害怕起來，加緊速度搖擺唱念：「我要身體好；身體好……」

老媽媽道：「這天眞奇怪，就不是閏月，平常九月裏也該漸漸冷了。」百順忽然想起，抬頭笑道：「姆媽，天冷的時候我要買個嘴套子，先生說嘴套子好，不會傷風！」阿小突然一陣氣往上衝，罵道：「虧你還有臉先生先生的！留了班還高高興興！你高興！你高興！」在他身上拍打了兩下，百順哭起來，老媽媽連忙拉勸道：「算了算了，這下子工夫打了他兩回了。」

阿小替百順醒醒鼻涕，喝道：「好了，不許哭了，快點讀！」百順抽抽噎噎小聲念書，忽然歡叫起來：「姆媽，阿爸來了！」阿爸來了姆媽總是高興的，連他也沾光。客人們也知道，阿小的男人做裁縫，宿在店裏，夫妻難得見面，極恩愛的，大家打個招呼，寒暄幾句，各個告辭了。

（略）

阿小的男人抱著白布大包袱，穿一身高領舊綢長衫，阿小給他端了把椅子坐著，太陽漸漸晒上身來，他依舊翹著腿抱著膝蓋坐定在那裏。下午的大太陽貼在光亮的，閃著鋼鍋鐵灶白磁磚的廚房裏，像一塊滾燙的烙餅，廚房又小，沒地方可躲，阿小支起架子來熨衣裳，更是熱烘烘。她給男人斟了一杯茶——她從來不偷茶的，男人來的時候是例外。男人雙手捧著茶慢慢呷著，帶一點微笑，聽她一面熨衣裳一面告訴他許多話。他臉色黃黃的，額髮眉眼都生得緊黑機智，臉的下半部卻不知爲什麼坍了下來；刨牙，像一隻手似地往下伸著，把嘴也墜下去了。

她細細告訴他關於秀琴的婚事，沒有金戒指不嫁，許多排場。他時而答應一聲「唔」狡猾的黑眼睛望著茶，那微笑是很明白，很同情的，使她傷心，那同情又使她生氣，彷彿全是她的事——結婚不結婚本來對於男人是沒什麼影響的。同時她又覺得無味，孩子都這麼大了，還去想那些。男人不養活她，就是明媒正娶一樣也可以不養活她，誰叫她生了勞碌命，他掙的錢只夠自己用，有時候還問她要錢去入會。

（略）

主人回來了，經過廚房門口，探頭進來柔聲喚：「哈囉，阿媽！」她男人早躲到陽台去了，負手看風景。主人花三千塊錢僱了個人，恨不得他一回來她就馴鴿似地在他頭上亂飛亂啄，因此接二連三不斷地揿鈴，忙得她團團轉。她在冰箱裏取冰，她男人立在她身後，低聲說：「今天晚上我來。」阿小嫌煩似地說：「熱死了！」她和百順住的那個亭子間實在像個蒸籠。——但她忽然又覺得他站在她背後，很伶仃似的；他是不慣求人的——至少對她他從來沒有求告過。……她面對著冰箱銀灰色的脅骨，冰箱的構造她不懂，等於人體內臟的一張愛克斯光照片，可是這冰箱的心是在突突跳著，而裏面噴出一陣陣寒浪薰得她鼻子裏發酸，要出眼淚了。她並不回頭，只補上一句：「百順還是讓他在對過過夜好了。他們阿媽同小孩子都住在這裏的。」男人說「唔。」

她送冰進房出來，男人已經去了。她下樓去提了兩桶水上來，打發主人洗了澡。門鈴響，那新的女人如約的來了——阿小猜是個舞女。她問道：「外國人在家麼？」一路扭進房去，腦後一大圈鬈髮撇出來多遠，電燙得枯黃虬結，與其他部份的黑髮顏色也不同，像個皮圍脖子，死獸的毛皮，也說不上這東西是死獸的是活的，一顫一顫，走一步它在後面跳一跳。

阿小把雞尾酒和餅干送進去，李小姐又來了電話，阿小回說主人不在家。李小姐這次忍不住有嗔怪的意思，質問道：「我早上打電話來你有沒有告訴他？」阿小也生氣了。—

——從來還沒有誰對於她的職業道德發生疑問，她淡淡的笑道：「我告訴他的呀！不曉得他可是忘記了呢！怎麼，他後來沒有打得來麼？」李小姐頓了一頓，道：「沒有呀。」聲音非常輕微。阿小心想：誰叫你找上來的，給個傭人刻薄兩句！但是她體念到李小姐每次給的一百塊錢，就又婉媚地替哥兒達解釋，隨李小姐相信不相信，總之不使她太下不來台：「今天他本來起晚了，來不及的趕了出去，後來在行裏間，恐怕又是忙，又是人多，打電話也不方便……」李小姐「唔，唔。」地答應著，却彷彿在那邊哭泣著了。阿小道：「那麼，等他回來了我告訴他一聲。」李小姐彷彿離得很遠很遠地，隱隱地道：「你也不要同他說了……」可是隨又轉了口：「過天我有空再打來罷。」她彷彿連這阿媽都捨不得撒手似的，竟和她攀談起來。她上次留心到，哥兒達的床套子略有點破了，他一個獨身漢，諸事沒人照管，她意思要替他製一床新的。阿小這時候也有點嫌這李小姐婆婆媽媽討厭，又要替主人爭面子，便道：「他早說了要做新的，因爲這床是頂房子時候頂來的，也不大合意，一直要重買一隻大些的；如果就這隻床上做了套子，尺寸又不對了。現在我替他連連，也看不出來了。」她對哥兒達突然有一種母性的衛護，堅決而又厲害。

（略）

阿小進去收拾陽台上一張籐桌上的杯盞，女人便倚著鐵欄干。對於這年輕的舞女，這一切都是新鮮浪漫的罷？傍晚的城中起了一層白霧，霧裏的黃包車紫陰陰地遠遠來了，特別地慢，慢慢過去一輛；車燈，腳踏車的鈴聲，都收斂著，異常輕微，彷彿上海也是個紫禁城。

樓下的陽台伸出一角來像輪船頭上，樓下的一個少爺坐在外面乘涼，一隻腳蹬著欄干，椅子向後斜，一晃一晃，而不跌倒，手裏捏一份小報，雖然早已看不見了。天黑了下來，地下吃了一地的柿子菱角。阿小恨不得替他掃掃掉——上上下下都是清森的夜晚，如同深海底，黑暗的陽台便是載著微明的百寶箱的沈船。阿小心裏很靜也很快樂。

她去燒菜，油鍋拍辣辣爆炸，她忙得像隻受驚的鳥，撲來撲去。先把一張可以折疊的舊式大菜檯搬進房去，鋪上檯布，湯與肉先送進去，再做甜菜。甜雞蛋到底不像話，她一心軟，給他添上點戶口麵粉，她自己的，做了雞蛋餅。

她和百順吃的是菜湯麵疙瘩，一鍋淡綠的黏糊，嘟嘟煮著，面上起一點肥胖的顫抖，百順先吃完了，走到陽台上，一個人自言自語：「月亮小來！星少來！」

阿小詫異道：「瞎說點什麼？」笑起來了，「什麼『月亮小來，星少來』？發癡滴搭！」

她進去收拾碗盞，主人告訴她：「待會兒我們要出去。你等我走了，替我鋪了床再走。」阿小答應著，不禁罕異起來——這女人倒還有兩手，他彷彿打算在她身上多花幾個錢似的！

她想等臨走的時候再把百順交給對過的阿媽，太早了怕他們嫌煩。燒開了兩壺水，爲百順擦臉洗腳，洗脖頸，電話鈴響，她去接：「哈囉？」那邊半天沒有聲音。她猜是個中國人打錯了的，越發彷著個西洋悍婦的口吻，火高三丈銳叫一聲「哈囉？」那邊怯怯的說：「喂？阿媽還在嗎？」原來是她男人，已經等了她半天了。「十點鐘了，」他說。

阿小聽聽主人房裏還是鴉雀無聲。百順坐在餅乾筒上盹著了，下起雨來了，竹簾子上淅瀝淅瀝，彷彿是竹竿夢見它們自己從前的葉子。她想：「這樣子倒好，有了個藉口。」她喊醒了百順，領他走到隔壁去，向對過的阿媽解釋：「下雨，不帶他回去了，小人怕他滑跌跤，又喜歡傷風，跟著阿姨睡一晚罷！」回到這邊來，主人還是沒有動靜，她火冒起來，敲門沒人理，把門輕輕推開一線，屋裏漆黑的，不知什麼時候已經雙雙出去了。阿小忍著氣，替他鋪了床。她自己收拾回家，拿了鑰匙網袋雨傘，短大衣捨不得淋濕，反折著挽在手裏，開後門下樓去。

雨越下越大。天忽然回過臉來，漆黑的大臉，塵世上的一切都驚惶遁逃，黑暗裏拚鈴碰隆，雷電急走。痛楚的青、白、紫、一亮一亮，照進小廚裏，玻璃窗被迫得往裏凹進去。

阿小橫了心走過兩條馬路，還是不得不退回來，一步拖一步走上樓來，摸到門上的鎖，開了門，用網袋包著手開了電燈，頭上身上黑水淋漓。她把鞋襪都脫了，白緞鞋上繡的花落了色，紅了一鞋幫。她擠掉了水，把那雙鞋掛在窗戶鈕上晾著。光著腳踏在磚地上，她覺得她是把手按在心上，而她的心冰冷的像石板，廚房內外沒有一個人，哭出聲來也不要緊，她爲她自己突如其來的癲狂的自由所驚嚇，心裏糊模地覺得不行，不行，不能一個人在這裏，快把百順領回來罷。她走到隔壁去，幸喜後門口還沒上門，廚房裏還點著燈。她一直走進去，拍拍玻璃窗，啞著喉嚨叫：「阿姐！開開門！」對過阿媽道：「咦？你還沒回去？」阿小帶笑道：「不好走呀！雨太大，現在這斷命路又沒有燈，馬路上全是些坑，坑裏全是水——眞要命！想想還是在這裏過夜罷。我那瘪三睡了沒有？還是讓他跟我睡去罷。」對過阿媽道：「你有被頭在這裏麼？」阿小道：「有的有的。」

她把棉被鋪在大菜檯上，下面墊了報紙，熄了燈，與百順將就睡下。廚房裏緊小的團圓暖熱裏生出兩隻蒼蠅來，在頭上嗡嗡飛著。雨還是嘩嘩大下，忽地一個閃電，碧亮的電光裏又出現了一個蜘蛛，爬在白洋磁盆上。

樓上的新夫婦吵起嘴來了，訇訇(9)響，也不知是蹬腳，還是人被推撞著跌到廚櫃或是玻璃窗上。女人帶著哭聲唎唎囉囉講話，彷彿是揚州話的「你打我！……你打我！……你打死我啊！……」阿小在枕上傾聽，心裏想：「一百五十萬頂了房子來打架！才結婚了三天，沒有打架的道理呀！……除非是女人不規矩……」她朦朧中聯想到秀琴的婆家已經給新房裏特別裝上了地板，秀琴勢不能不嫁了。

樓上鬧鬧停停，又鬧起來。這一次的轟轟之聲，一定是女人在那裏開玻璃窗門，像是要跳樓，被男人拖住了。女人也不數落了，只是放聲號哭。哭聲漸低，戶外的風雨卻潮水似地高起來，嗚嗚叫囂；然後又是死寂中的一陣哭鬧，再接著一陣風聲雨聲，各不相犯，像舞台上太顯明地加上去的音響效果。

阿小拖過絨線衫來替百順蓋好，想起從前同百順同男人一起去看電影，電影裏一個女人，不知怎麼把窗戶一推，就跨了出去；是大風雨的街頭，她歪歪斜斜在雨裏奔波，無論她跑到哪裏，頭上總有一盆水對準了她澆下來。阿小苦惱地翻了個身，在枕頭那邊，雨還是嘩嘩下，一盆水對準了她澆下來。她在雨中睡著了。

將近午夜的時候，哥兒達帶了女人回來，到廚房裏來取冰水，電燈一開，正照在大菜檯上，百順睡夢裏唔唔呻吟，阿小醒了，只做沒醒，她只穿了件汗衫背心，條紋布短袴，側身向裏，瘦小得像青蛙的手與腿壓在百順身上。頭上的兩隻蒼蠅，叮叮的朝電燈泡上撞。哥兒達朝她看了一眼，這阿媽白天非常俏麗有風韻的，卸了裝卻不行；他心中很覺安慰，因爲他本來絕對沒有沾惹她的意思。同個底下人兜搭，使她不守本分，是最不智的事；何況現在特殊情形，好的傭人眞難得，而女人要多少有多少。

哥兒達捧了一玻璃盆的冰進去，女人在房裏合合笑著，她喝下的許多酒在人裏面晃蕩晃蕩，她透明透亮的成了個酒瓶，香水瓶，躺在一盒子的淡綠碎鬈紙條裏的貴重的禮物。門一關，笑聲聽不見了，強烈的酒氣與香水卻久久不散。廚下的燈滅了，蒼蠅又沒頭沒腦的撲上臉來。

雨彷彿已經停了好一會。街下有人慢悠悠叫賣食物，四個字一句，不知道賣點什麼，只聽得出極長極長的憂傷。一群酒醉的男女唱著外國歌，一路滑跌，嘻嘻哈哈走過去了；沈沈的夜的重壓下，他們的歌是一種頂撞，輕薄，薄弱的，一下子就沒有了。小販的歌，卻唱徹了一條街，一世界的煩憂都挑在他擔子上。

第二天，阿小問開電梯的打聽樓上新娘子爲什麼三更半夜尋死覓活大鬧，開電梯的詫異道：「哦？有這事麼？今天他們請客，請女家的人，還找了我去幫忙哩。」還是照樣地請了客。

阿小到陽台上晾衣服，看見樓下少爺昨晚乘涼的一把椅子還放在外面。天氣驟冷，灰色的天，街道兩旁，陰翠的樹，靜靜的一棵一棵，電線桿一樣，沒有一點胡思亂想。每一株樹下團團圍著一小攤綠色的落葉，乍一看如同倒影。

乘涼彷彿是隔年的事了。那把棕漆椅子，沒放平，吱格吱格在風中搖，就像有個標準中國人坐在上頭。地下一地的菱角花生殼，柿子核及皮。一張小報，風捲到陰溝邊，在水門汀闌干上吸得牢牢地。阿小向樓下只一瞥：漠然想道：天下就有這麼些人會作髒！好在不是在她的範圍內。

【注釋】

(1)揿過鈴了—揿，音ㄑㄧㄣˋ，按。鈴，主人召喚僕人用的。
(2)特別的疙瘩—這裏指特別找些麻煩事讓她做。
(3)觸祭—指填飽肚子，就像神在吃祭品一般，是不好聽的話。
(4)慧黠—敏捷又機智的樣子。
(5)沈魚落雁，閉月羞花—兩句都是比喻美人。
(6)珍珠米—玉蜀黍的別稱。

(7)纓絡—同「瓔珞」，一種用珠玉串成的頭飾。
(8)瘤子—像結節似的腫瘡。
(9)訇訇—聲音很大。訇，音ㄏㄨㄥ。

【結構】

一、請舉例說明下列人物對婚姻或男女交往的看法：

	看法	例子
阿小的男人		
阿小		
哥兒達		
李小姐		
黃髮女		
舞　女		
新婚夫婦		
秀琴		

二、請舉例說明下列人物之性格或品德：

	性格或品德
阿小	
小販	
李小姐	
哥兒達	
酒醉男女	
百順	
樓下小少爺	

【討論】

一、本篇小說反映了那個時代的那些婚姻問題？

二、除了婚姻問題以外，本篇還反映了那個時代的那些問題？

三、丁阿小的潔癖，由那些事可以看出來？她的潔癖又代表了什麼？

四、作者藉著陽台、椅子、蜘蛛、蒼蠅來表現什麼？

一九　鵝媽媽出嫁

楊　逵

【作者】

楊逵，本名楊貴，（因慕水滸傳李逵的勇孝而取名楊逵）另有筆名楊健文等。台南縣新化鎮人，一九〇五年十月十八日生。畢業於日據時代的台南二中（現在台南一中的前身）。因爲少年時目睹噍吧年事件日軍鎮壓的慘況，加上他敏銳的感觸及熟讀西方文學名著的影響，遂啓迪了高度的人道主義思想與堅韌的民族意識。

爲了滿足求知慾，又受限於境遇艱困，他在一九二四年東渡日本，入日本大學文學藝能科就讀，而過著半工半讀的生涯。其間，他賣過報紙，也當過建築臨時工，埋設過電線桿。一九二七年，因參加朝鮮人的抗日演講會而被捕，不久，返回台灣，投入本島的各項農民運動和文化運動。曾參加過「台灣文化協會」，任該會會長。也參加過「台灣農民組合」，任中央常委。一九三四年，參與發起和組織「台灣文藝聯盟」，並出任該組織的機關刊物「台灣文藝」的日文編輯。一九三五年年底，與妻葉陶合力創辦「台灣新文學」月刊。其間，曾經先後遭日警逮捕達十次之多。一九三七年再度赴日返台後，又窮又病，幸賴日籍友人資助，租得二百坪土地，開闢了「首陽農場」（以首陽山故事命名），過著清苦的耕讀寫作生涯。

楊逵早期以日文寫作，重要作品有：「送報伕」、「模範村」（原題爲「田園小景」）、「無醫村」、「鵝媽媽出嫁」、「泥娃娃」等。其中，「送報伕」曾入選東京「文學評論」徵文第二獎（首獎從缺），中譯文並流傳於大陸、南洋各地，是第一位享譽國際文壇的台籍作家。

台灣光復後，楊逵將首陽農場改稱一陽農場，並勤習中文，發行「一陽週報」。一九四七年四月，因「二二八事件」，與葉陶雙雙被捕，同赴監牢，八月獲釋。一九四八年，參與起草「和平宣言」，登載於上海大公報，觸怒當局，又被判有期徒刑十二年。一九五一年被送往綠島監獄服刑，但寫作仍不輟。重要作品有：「春光關不住」、「園丁日記」、「百合」等小說、散文、札記共二十餘篇。一九六一年刑期屆滿，返回台灣本島，仍舊以種花維生，在東海大學對面經營「東海花園」。一九六九年，妻葉陶因積勞成疾，於八月一日病逝。

一九七二年，六十七歲的楊逵復出文壇，作品也經報刊雜誌大量地重新刊載。「壓不扁的玫瑰花」（「春光關不住」改題）於民國六十五年被編選入國中國文課本第六冊，這是日據時代起，台灣文學作品編入國文教科書的第一人。一時之間，東海花園常有青少年學子及文壇人士造訪，楊逵也被喻為台灣文壇不朽的老園丁。一九八二年八月，應美國愛荷華大學「國際作家工作坊」之邀赴美訪問，回途曾重返東京。一九八三年獲吳三連文學獎及第一屆台美基金會人文科學類人才成就獎。

一九八五年三月十二日，楊逵走完了他坎坷的八十年人間歲月，地點是在台中，三月二十九日安葬於東海花園葉陶墓旁。綜觀其一生，彷彿就是台灣這八十年歷史的一個縮影。他為爭公理爭平等奮鬥犧牲的實踐精神，深深地感動人心，作品裡所散發出的人道主義精神，更讓人久久不能釋懷。

【題解】

無論任何時代，任何地方，只要是一個偉大作家，他的作品必定和所處的時代社會有著密不可分的關係，在他的心靈深處也必定和所有人們有著同呼吸共命運的感覺，否則就無法引起廣泛共鳴，造成撼動人心，留待後人省思的效果。楊逵的作品具備明確的主題意識，那就是反映殖民主義下受壓迫的人們如何忍受痛苦的煎熬，如何在艱辛中生存，刻畫出統治者及其同路人的嘴臉，而在作品背後常帶著人性的芬芳，透顯著人道的關懷，充分展現了他生長的時代的特質。

「鵝媽媽出嫁」原作爲日文，於一九四二年十月在「台灣時報」發表。一九四六年收於台灣三省堂出版的「鵝鳥の嫁入」日文小說集。一九六六年改訂譯成中文。一九七四年元月在「中外文學」重新發表，此後，在台灣文藝界楊逵的地位逐漸提高。誠如著名的文學批評家張良澤所說：楊逵每一篇作品都有其方法論，引導讀者一條明確可行的路。「鵝媽媽出嫁」是闡述儒家大同思想的「共榮經濟論」之作。（詳見張著「不屈的文學魂—論楊逵兼談日據時代的台灣文藝」一文。）這部中篇小說，以經濟學家林文欽所創立的「萬民共榮」理論，來批判揭露了日本帝國主義所謂「大東亞共榮圈」的經濟掠奪策略。

本文以第一人稱敘事，作者在留日期間，雖半工半讀，仍受林文欽的資助，才得以專心研究文藝理論。返台後，因忙於生計而彼此少見面。偶然林君來訪，作者雖家徒四壁，林君卻羨慕其無憂無慮的自在生活。等到林君死後，作者前去弔唁，走進他臥房，無意中發現那部遺作「共榮經濟的理念」，遂懷著遺憾惋惜的心情，覺得自己應盡全力去實踐這個理想，以慰好友在天之靈。其次，本文對人性的刻畫極爲成功，例如：作者兒女對鵝的純眞感情；公立醫院院長的虛僞敲詐行爲；曾經受恩於林家後來卻翻臉無情的那些人；王專務的僞善臉孔；種苗園老闆善於揣摩人性的一面等，均有相當的發揮。足見作者對人性的體認滿深刻。

此外，爲了取回那一點可憐的老本，作者把形同被硬搶奪過去的母鵝說成「出嫁」，又是文學裡典型的「反諷」技巧，或許也有自我解嘲的意味。而母鵝被「逼嫁」的對象，乃是醫院日籍院長家的公鵝，是否意謂著殖民統治下本省同胞的幾許無奈吧！至於小說中林翁嫁女，與作者家裡「嫁鵝」是否也有同病相憐的境遇吧！

由於本文過長，本課僅節錄其中一部份而已，如果同學有興趣的話，可以細讀原文，當有更深的領略才是。至於選文，仍標上原文章節，以便比對查考。

【本文】

一

林文欽君我認識他是在上野圖書館的特別閱覽室。

那是何年何月，現在都記不清楚了。只知道是一個炎熱的下午，我滿身淌著汗。可是下面這些事情的回憶，卻是清晰難忘。

那個時候，我就讀於日本大學，下午兩點到三點的美學課，常令我打起瞌睡，不得不一下課就跑到上野圖書館。也許這是我的怠慢吧！教授講得非常有勁，聲音就像銀鈴，有點涼意，只是我總聽不入耳。因此，我的筆記就只留了許多問號而已。不能像那些才子把教授的講義和咳嗽聲都記錄下來。這就是叫我不能逛銀座，而成爲圖書館老主顧的理由之一。

這一天，我要從原始藝術的資料中找到論據，以解決教授留給我的那許多問題。我正專心在翻卡片時，有人從背後拍了一下我的肩膀。回頭一看，就是在同一學校讀經濟學的同學，他看著我那本與衆不同的筆記本在笑著。我和他在學校裡好像常常碰頭，但還沒有個人的交誼。不過，彼此都知道同是臺灣人，而在離開家鄉幾千里的東京談談家鄉事是難得的，也是愉快的，我們馬上成了好朋友。

爲要了解藝術的本質，我正專心在研究原始藝術的時候，他對原始社會的經濟生活的豐富智識，幫我解決了許多問題。我們常常在公園樹蔭下談論著，有時候繼續到我的三疊室(1)，最後便移到他的八疊的房間。他那裡有靠椅、有茶點，參考書也比較多，長時間的討論是方便得多了。我們的討論都非常熱誠與坦白，在每次討論中，我們都是激烈的勇士。可是，他的生活是富足無憂的，我卻每夜要到夜市去做小生意來維持生活和學費，自然我的勇士臉孔在入夜的同時，就要變成一個卑躬屈膝的小商人臉孔了。

如此繼續了三個月，到他發現我這種兩面生活影響了我的學習時，他便把我的生活包辦下來，讓我和他一樣全神貫注在研究上面，成爲很好的學習伴侶。

我比他早了五年回臺灣，但他一回來就來找我了。我正蹲在花園裡工作時，他輕輕地走到我背後，就像在上野圖書館初會時一樣，拍了一下我的肩膀。不過這一次顯得沒有力氣。

在這五年當中，彼此都變得太多了。我正在驚疑時，他可能也有這樣的感覺。不過，我覺得他變得比我多得多。以前的他是那麼公子氣概，那麼沈毅，那麼有魄力；現在呢？大概要回來時，把這副臉孔留在東京忘了帶回來吧！好久好久我才從他的唇邊眼角認出他是林文欽君。

他用不靈活的舌頭連說羨慕我。

「開玩笑！羨慕什麼？」

拔了拔我一寸多長的懶鬍子說，竟覺得好笑起來。我回臺五年的生活要是值得羨慕的話，世界上還有什麼不稱心愉快的生活嗎？

我所專門研究的藝術，在臺灣簡直連一片麵包一碗飯都換不到，除了奇裝塗臉打花鼓去替人家做廣告以外，是找不到出路的。我不願意出賣靈魂，就只好當苦力，做小工混日子，七顛八倒把身體也弄壞了。好在得到朋友的忠告與援助，才找到這塊土地開始種花。因為種花不比做苦力小工，一切可以自己控制，不要受人家的驅使，工作也輕鬆得多了。

二

林文欽君說，自從我回臺灣後，大約三年間，他還和以前一樣繼續著他的研究工作，可是從第四年起他的父親就一直叫他回家，寄錢也不像以前那樣順利了。他馬上知道家裡的經濟情形一定來得困難了，但因不忍放棄自己的研究工作，便搬到我曾經住的那間三疊室，學我從前的生活方式，晚間到夜市去做小生意來維持生活，焦急地想把他的經濟學體系化。(2)

那時正是馬克斯經濟學說的全盛時代，血氣方剛的學友們都著了迷一樣，叫喊著階級鬥爭，跑上實踐運動去了。但他一直堅守著他的陣地，相信以協調，不是鬥爭就可以達到所希求的目的。當然他也相信，「一人積著巨富萬人饑」的個人主義經濟學，在理論上已非其時，又因青年們共同的正義感，他早就希求其結束。因此，他以全體利益為目標，考察出一個共榮經濟的理想，從各方面找資料來設計一個龐大的經濟計劃。對於原始人的經濟生活研究盡詳的他，總以為「要是資本家都取回了良心，回到原始人一般的『樸實純眞』，共榮經濟計劃的切實實施一定可以避免血腥的階級鬥爭。」

他的性格，他的想法很多是繼承了他父親的，而他的父親是家鄉很有聲望的漢學家，自然他自幼年時代就受到儒學很大的影響。

「有國有家者，不患寡而患不均。不患貧而患不安。蓋均無貧，和無寡，安無傾。」(3)

孔子的話，是他自幼年時代一直堅持著的信念。

父子兩代的這種經濟觀念，使他爲了後代設計一個非常美滿的經濟建設藍圖；卻也因爲這個經濟觀念，把他們一家的經濟基礎破壞無存了。貪心無饜的自私者們正在你爭我奪的這個年代，他們雖然念念不忘孔子之道，結果是連一點安靜都沒有得到，反而傾家蕩產了。他自己以爲這是沒有透澈「滅私奉公」所致，要是眞正澈底的話，是可以「傾而安之」的。

他的父親繼承了千餘石⑷的祖業，但他們一家人的生活卻非常樸實，當然不會花天酒地賭博吸鴉片。就是因爲慷慨好施——正如林文欽君包辦了我的學雜費一樣，他的父親是包辦了更多貧家子弟的學費的。鄉裡有人病了無法醫治，死了無法出喪時，他也給他們包辦了一切。抗日風起，民族文化與要求民主自由的民衆運動開展，而文化工作者需要錢用時，他更是有求必應，連那唯一收入之源的佃租，他也從不逼繳，欠的也不追究。因此超越時代的作風，千餘石的美田甚至家宅都變成了債務抵押，整個被握在一家公司的手裡了。破產宣告的危機就操在那家公司王專務的一念了。

說到王專務，這位紳士也並不是沒有情感的人。他時常讚揚林翁的人格，說林翁是他最最敬仰的老者。他也親自向林翁提過保證，叫他不必憂慮。可是，他提了一個教不算頑固的林翁無論如何也不能接受的條件，這就越加添了林翁的憂慮和苦惱，也就是這一個條件，把本可死於安樂的林翁活活地給悶死了。

王專務所提的唯一條件，就是請林翁把他的女兒，林文欽君唯一的胞妹嫁給他做姨太太。他說，只要林翁答應這個親事，不僅不會被宣告破產，而且，比較有利的處理辦法是很多的，他一定會給林翁保留一些產業，讓他不致困於生活，而且還可以把林文欽君安置於重要職位，讓他學有所用，以圖林家的復興。

這個條件倒是很不錯的！

爲了吃飯而當妻賣子的也不乏其人的今天，王專務所提的條件是太好了——有人這樣說。既可得到財勢雙全的乘龍快婿，兒子又可就優越的職位，而還能保留些產業當做復興的基礎。如此一舉三得，王專務相信林翁一定會喜出望外地滿口答應的。於是便辦了一席盛宴請朋友來預祝，醉得不亦樂乎。

可是，聽到了這個消息時的林翁卻氣得臉白唇青了。生氣儘管生氣，但這侮辱，在走投無路的時候竟也強逼著他再作一番考慮。

他想，反正自己是等待死的老人了，槍砲都不怕，還怕什麼！可是一想到將要出社會做事的兒子文欽和女兒小梅，卻使他頭痛。他知道，破產宣告一下來，這兩個年輕人的前途是不堪設想的。想來想去，終於噙⑸著眼淚說一聲「好」就病倒了。

他們兄妹倆雖然知道他老人家的苦衷，但如此作法卻也不是年輕人所能接受的；這話馬上觸礁了。小梅堅決地說，決不能嫁給這個輕薄而沒有民族氣概的男人。而文欽也老早就知道自己的經濟學，爲的是萬民共榮的理想，不是爲自己個人的發財，當然不能犧牲了胞妹又弄垮了自己的經濟學體系。到這最後關頭，林翁便束手無策了，不僅「傾也安之」無法得到，「死得安樂」竟也無他的份。

林文欽君到我的花園來找我，是他剛辦完了父親的葬事後。其後，他便和年老的母親，軟弱的胞妹三個人在等待著可能明天就要下來的破產宣告。至此我才了解了他說「羨慕」的眞實意義。

在貧困中養育了我們兄弟的父親，他雖然沒有留給我們一坪土地，一所草房，倒也不給我們遺債；因此，在七顚八倒中我們卻還可以過著比較安寧的生活，這是多麼幸運呀！

我一直望著這好人林文欽君，又想起他的一家人，死了的和活著的，不禁淌出憐憫之淚來了。從我這裡回去以後，林文欽兄妹還再三受到王專務的勸告與威脅，可是父親已死，再也不必爲他操心了；看過我的生活方式之後，他又覺得如此可以勉強度日，便斷然拒絕。而做爲其報酬的破產宣告也很快就來了。

拍賣完了之後，他的精神卻反而覺得輕鬆得多，馬上把一切不實用的東西賣掉，租了小小一塊地蓋了小房，種些地瓜蔬菜勉強餬口。

三

時間過得眞快，又過了五個年頭。

在這中間，我因得到豐富的日光、清潔的空氣和適宜的勞動，克服了肺病菌而恢復了健康。生活也因這幾年所積的經驗，過得安適一點了。我時常想起老朋友，想用什麼辦法來幫他一點忙的時候，突然林文欽君的訃聞來了。

我慌忙跑到他那裡去。

在這五年當中，我們都爲了生活而奔波著，不能像在東京時那樣時常見面。不過，我們還時常互通著消息，每有機會也互相找對方談談的。他一家人過去都沒有勞動過，而且種地瓜蔬菜比種花的收入也差一點，他們所吃的苦自然要比我大得多了。

眞是人情薄如紙；錦上添花多的是，雪中送炭卻絕少絕少。他父親在世，他們的經濟弱點還沒有暴露時，客人是多如螞蟻的，現在卻連那些受過林翁絕大支持而衣錦還鄉的人們也把這個家的存在忘記了。林文欽的死一點都沒有喚起人家的注意。我踏進這個家時，就只有他的母親和妹妹在哭泣著，和鄰近幾個人在幫忙。來弔問的人很少很少，淒涼得很。

我一路直跑到林文欽君的臥室兼書房，氣喘喘地看到那用被單連頭帶臉掩蓋著的屍體時，不禁怔了一怔。我走過去，將被單掀了起來，可憐得很，他瘦得薄板似地躺在那裡。臉給太陽晒得烏黑黑地，鬍子長得長長的。雖然剛過三十歲，卻像完了天壽的五六十歲老人一樣。我握起他那竹片一樣薄的手，看著他那脣邊的一絲血跡。他的手是冷冷的，我的胸中卻燙得呼吸緊促著。眼睛花了，不易讓人看見的眼淚直湧出來。

好久好久，我才抬起頭來，忽在他腳邊桌子上發現了一疊厚厚的原稿。題目是「共榮經濟的理念」。好像他一直到昨天還在這裡工作著似的，桌子上沒有一點塵埃。

我為要掩遮淚痕，把它翻了翻。

一字一句都充滿著熱情，喚起了往昔的回憶。要是他的屍體不躺在那裡，他的死是不能相信的。

小梅說，他在最後的一天還到園子裡挖地瓜哩！這樣的工作，在他這樣的身體的確是太過激烈的勞動。而且，他一定明白他自己的身體已面臨絕境，而以被死追逐著的焦急心情把這部稿子完成的情況，在字裡行間都可以看得出來。

這是一部將近二十萬字的著作，雖然前面的稿紙都變黃了，最後幾十張的墨跡卻很新，而且有點點血痕，可以看出這是他在咯血中勉強寫出來的。我再緊握著他那竹片似的手哭泣了。

四

這是大東亞戰爭的第二年，很多很多的年輕人都被日本軍閥徵去當兵、當勞務工、當醫務人員。「企業整備」整破了許多人的飯碗，必需品配給叫人束緊腰帶，衣著襤褸(6)。除了那些依權仗勢的正在大發戰爭財之外，大家都有苦叫不出。你敢叫苦，就有「流言惑衆」甚至「間諜」之嫌。日本特務正利用其手下佈下天羅地網，因而被捕的到處都有。

砲聲、轟炸聲震天價響——在這樣的時候，他賣命寫完了這部「共榮經濟的理念」，還希望人類能夠覓到良心，恢復原始人的樸實與純眞，實在是再天眞也沒有的了。做一個朋友，他固然值得敬仰，但爲人爲己，時代已不再容納如此書呆子了。

想著想著，雜草已經拔了不少。過去只可當作堆肥料的草，現在還要利用它來做鵝的飼料。我用糞箕收集搬到鵝舍時，孩子們正圍在那裡喊著跳著。兩歲未滿的也學他哥哥姐姐們「哈哈哈」地拍著手。我以爲是在高興什麼，原來是一群鴨子伸著長脖子在跳著爭吃吊在簷下的小米種子。

「爸爸，鴨子餓鬼（貪吃）！」

這年四月才上幼稚園的次男，拚命地拉著我的手說。

因配給米制度的實施，我們採取了兩粥一飯辦法以來，這個孩子就時常鬧肚子餓，到處找地瓜投在灶裡燒，以致被他母親叫做餓鬼；如今出現了一大群鴨的餓鬼，在他好像是得到百萬援軍似地，他極力要我注意這件事。

（略）

鴨子食量很大，又要吃地瓜穀粒。人都吃不飽的這個時候，根本我就不想餵養的，不知道是誰送的，妻卻拿回來，結果只好天天看牠們挨餓，實在於心不忍。

養鵝子倒容易得多了。鵝子只要有草就高興吃，如此也可以養大。園子裡拔的草很多，孩子們一下課也可以把鵝子趕到草地上去吃草。天天這樣，已成爲很要好的朋友了。白白的羽毛看來非常可愛。孩子們都喜歡把牠抱起來玩，鵝子也乖乖地在他們懷裡叫。

——好重呀！

剛入幼稚園的次男，學他哥哥也抱起一隻，因爲抱不動幾乎要把牠掉下了，鵝子展翅驚叫。

「走吧！」

把鵝放下，兄弟二人便趕向草地上去。鵝子在水池裡玩了一下以後，展開了翅膀便飛也似的在草地上賽跑。

兩隻都是白白的羽毛，但一隻是黑嘴巴，另一隻卻是黃嘴巴；大孩子聲援了黑嘴巴，次男便爲黃嘴巴加油了。

「加油，加油，黑的跑得快！」

「加油，加油，黃的跑得快！」

兄弟兩個都像啦啦隊長似的，追在後面聲援著。等他們趕到時，兩隻鵝子已停在那裡吃草。吃著綠油油的嫩草，到底是黑的勝呢？還是黃的勝？都弄不清楚。問也不會回話，兄弟兩人便開始爭論了一番。結果還是不能弄清楚，兩人便趴在草地上看守著鵝子，彼此和好了。

（略）

五

××醫院的院長帶著總務到花圃來了。是爲了要在醫院四周種兩百棵龍柏而來的。

我這裡種的都是剪花和盆景，至於樹木和水果苗都是有訂貨時才請同業送來。同業間各有專行，專行外的訂貨都以賣價的七—八折互相分讓。

「這裡沒有現品？」

在園子裡瀏覽了一番之後，院長問了。

「是的，木本類都種在山上的苗圃。」

這是謊話。在山上，我雖也租了一塊地，種的都是補充主食的地瓜和樹薯(7)。因爲資金的關係，這類要種多年才能出賣的木本類在我是無法週轉的。不過，說是自己種的，對於顧客印象比較好，如此一點謊話，我倒老早就學會了。

「那麼，什麼時候才能夠送來呢？」

「大約兩三天……」

四尺高的每株七十錢，三天以內送到醫院去……，兩百株庭樹的交易於是成交了。平常，一天的收入能有二三圓就算是很不錯的了，一百多圓的生意，如此簡單的就成交，我倒有一點意外。本錢一株五十錢，二百株可賺三十圓，扣除了運費和種植的工資，最少還有二十多圓的純利，我非常高興。

這個時候，孩子把鵝子趕回來了。

「唔，這兩隻鵝子都很漂亮！是你們養的嗎？」

院長把手放在孩子們的頭上問。孩子們被人家這一誇獎，樂得笑嘻嘻的向他吹噓說：

「這隻是公的，那隻是母的，很快就要下蛋孵小鵝了！」

「很好很好……有人送伯伯一隻公的，想把牠養起來，沒有母的也不行……」

院長沒有說完，伴他來的便接上去說：

「是的，年紀大了，不給牠找個配偶也不行……哈哈哈。」

「哈哈哈……是的。不給牠找個新娘子怎麼行……。你這隻母鵝，是不是可以讓……」

院長向我說了。

孩子們聽到院長要我們的母鵝便擔心起來了，拉著我的衣裾⑻偷偷的說「不要」。當然，我也沒有把這對「相好」的一隻讓給別人的意思。可是，一想起他是我們的大主顧，不好意思一味拒絕。只好說：

「我們只有這一對……你要的話，請等一等我將找一隻給你。」

聽我這樣一說，孩子們就放了心。可是好像還怕院長強要似地，急忙把鵝子趕進鵝舍去了。

院長倒也虛懷，並沒有說一定要這一隻母鵝，而只說「拜託拜託」就開始找花看了。

「這株文竹⑼很不錯，是什麼價錢？」

院長說著，又向與他同來的人說：

「種在我家裡那個水色的六角花盆一定很好看……」

「是的，一定很好看！」

因爲母鵝的事，我怕他不高興，便說：

「你喜歡這一株的話，就送給你吧……」

我開始把它挖出來。

「那就謝謝你了！那麼，就挖三株好啦。」

我覺得他已經不再要母鵝，就很慷慨的挖了三株文竹用報紙包好送給他。

「這是什麼？」

「百合⑽的球根。」

「請包二十個。」院長說了。我隨時拿報紙來包，但他沒等我包好又說：

「那是什麼？」

「繡球花⑾。」

「這挖兩株。」

「這個呢？」

「大岩桐⑿。」

「還有那邊的？」

「大理花⒀。」

如此要這個又要那個，直叫我忙不過來。

我雖然有一點擔心，但心裡暗暗地想，怎麼無恥的人也不會白白要這許多東西，但也不好意思先把價錢說出來。我想等他問起價錢來，才向他說明那幾種可以送他，而把另外幾種的價錢說出來。可是，他吩咐孩子爲他叫來兩部人力車，再也沒有問起價錢，只說一句「謝謝你」就滿載著回去了。

我著急了，便說：

「其餘的花卉都送你好了。不過這一盆榕樹是爲要出租買來的。原價是六圓，照本讓給你好了。」

他坐在人力車上，看那放在他膝蓋上的盆景又看看我說：

「六圓嗎？還便宜。不過，太重不好拿……下次再拿好了。」

隨即把那盆古榕還給了我。可是，單是他已拿回去的，已經把可以賺到的二十幾圓抵銷了。

這筆生意可以說是白做的了。

六

改天一清早我就到四、五處同業那兒去走了一轉找龍柏，因爲缺貨看漲，六十錢以下都不肯賣。再到鄉下種苗園去找了幾家，好不容易才買到五十五錢一株。但因運費也漲了，每株的成本竟高達六十錢一株。如此，連送他的花卉，已經虧蝕了十多圓。但價錢已經說定了，虧蝕還有什麼辦法，只好把貨送到醫院，雇了兩個幫手去種植。當要種植的時候，院長和承辦的人都出來指揮，我們三個人整整花了一天才把那二百棵樹種好；澆好了水已經很晚。叫兩碗麵請幫手們吃完才打發回去。把一件工作做完之後，總會覺得輕鬆一下的，至於虧損的也已不在意了。

改天我把請求單送到醫院，因院長不在，便交給了承辦人，請他幫幫忙早一點付錢。他把計算單看了看，說要付賬時會通知我，便要走了，我慌忙叫住他問：

「是什麼時候？」

「也許是月底吧。」他皺著眉頭說。

月底就月底，爲什麼還要來個「也許」？這眞使我傷腦筋了。我頭一次做這樣的大宗生意，資金一部份是借來的，還欠種苗園幾十圓，如果清還的日期不能確定，叫我怎麼辦？……

本來，我就很怕見債主的面，記得有一次欠米店二十圓的賬，竟被老闆控告到法院，及至站在法官面前時，我的心就像在閻羅殿一般難受。因此，等到月底而醫院沒有通知付錢時，我便一清早就跑去探問消息了。等了好久好久才看到承辦的人來上班，我便趕緊走過去。

「什麼事？」他直望著我，卻理都不理。

還有「什麼事」嗎？我心裡難受極了。但一想到「貴人多忘事」就只好平心靜氣，低頭屈腰向他說明來意。他才想起來似的，說：

「唔，種花的，糟了，院長說你送來的龍柏和樣品不同，太細了。」

「樣品？是那兒的樣品？」

「你在花園裡不是有幾株嗎？你拿來的根本就不一樣？」

「誰說那是樣品呀？那是六尺高的庭樹，每株要兩三圓，你們定的四尺高的苗木，怎麼會一樣？」

「可是院長這樣說呀……那麼，回頭再跟他說說看吧！」

已經月底了，還要說說看。這明明有意刁難。把樹送來種植時，他們又親自出來指揮過，有問題爲何不在那個時候說？等種好了，又經過這麼久之後再說出這話來，眞叫我爲難了。要是自己的錢再等幾天倒無所謂，但這是要還給種苗園的。

（略）

可是沒有幾天，由那老練的種苗園老闆的指教，我才懂得其中奧妙。雖然非常不愉快，但這時我只希望他早一點付清，就是再賠一點也無所謂。因爲我已經對種苗園老闆違約多次，如此，還有什麼臉見人？只得勉強抑住恨意，簡捷的說：

「那麼，這樣子吧，我們一起到您認爲最便宜的種苗園去看一下，要是有更便宜的，就把那最低的價錢算給我好不好？」

這是我認爲最公道而又是最後的一個辦法。他卻以輕蔑的嘲笑口氣說：

「你眞傻！我那有這閒工夫呢？你不像個生意人……」

「不像生意人？……」我詫異地說。這到底是什麼意思，著實叫我莫名其妙了。很多大宗生意不是都採取投標或比價方式辦的嗎？這樣做他還說我不像生意人，那麼，這位會做生意的醫學博士，我該另眼看待了。

我開這個花圃已經好多年了，天天都在做生意。客人來買花，價錢說定了，就是一手交錢，一手交貨。有些沒有帶錢的賒欠一段時間也有，可是非常乾脆。不過，這些都是五錢十錢，最高也只不過三五圓的生意罷了。難道這樣大宗生意就會特別？不管怎樣，如今我只希望他早點付錢，才能下得了臺。今後，像這樣麻煩的，就是有再大的利益可圖，我也不敢領教了。況且這次我已賠了不少錢。

「是的，這樣的大宗生意我全無經驗，就請院長先生指教吧。但我說不貴，先生說貴，我請你問問別的種苗園作比較，你又說沒有閒工夫，那叫我怎麼辦呢？我園子裡很忙，爲收這筆賬花了這麼多時間，眞叫我爲難。請先生幫忙，我們乾脆一點好嗎？只要馬上付款，你說怎麼辦就怎麼辦……您想付什麼價錢就付什麼價錢……」

「好吧，我再商量一下。」

「還要跟誰商量呢？先生，不能現在就做一個決定嗎？」

「不行！」

他打了個呵欠站起來，我又沒有得到要領，空跑一趟了。

七

月底已經過去，在新的月份裡我再跑醫院五次。有時找不到人，找到時也是得不到確切的答覆。我氣得幾乎要發瘋了，但因拿不到款就無法清還種苗園的賬，只好當做笨瓜忍受了。最後他把價錢殺到每株五十錢，我也答應了，如此雖要損失好幾圓，我卻覺得好過一點。可是話雖說定了，付款時間他還不說個明白，一直拖下去。又一個月底過去了。種在醫院四周的那些龍柏都長出了新芽，異常青翠好看，我卻被弄得神志皆消。

鄉下的種苗園來了幾張信催得越來越緊。這一筆賬全賴於醫院的付款，院長既不說明白付款日期，我就無法回信，一天天都在焦急鬱悶中過著。

園中的雜草又長得很高了，我空焦急著無心去除。

再過了十幾天，種苗園的老闆親自找到家裡來了。我呆呆坐在桌前時，他帶著氣憤的臉容走進來。我請他坐，給他泡茶，表示歉意之後，把付款拖延的原因一五一十說著，心裡非常難受，耳朵也發熱了。

「哈哈哈哈……」

種苗園老闆卻大笑起來，叫我吃了一驚。

我正莫名其妙的望著他時，他接著說：

「這筆賬我給你代收好了。」

他是如此有信心，有把握，眞叫我難以置信。

「你要替我代收？你能替我代收這一筆款？這話是眞的嗎？」

「當然是眞的。學校或旁的機關因種種關連，有時候也許會拖延一點時間。公立醫院是獨立會計，只要他不想刁難，隨時都可以付款。」

「可不是嗎！不知道爲了什麼，他竟故意刁難。我著實不能瞭解。」

「理由倒很簡單，回頭你就知道。但是，你那隻母鵝，院長所要的你那隻母鵝是代價，可以讓我帶去吧？……」

「這個這個……」

「你不甘心嗎？那我就沒有辦法了！」

「牠已下蛋，孵出了八隻小鵝，又是孩子們最喜愛的，拿走了恐怕……」

「又不是孩子們的戀人，媳婦。鵝子，都是一樣的，再買一隻充充數，孩子們不是一樣會愛牠？……等一段時間，還不是一樣會帶小鵝？」

他說著說著走到鵝舍去了。他伸手握住母鵝的長脖子拖出來，把雙足綁著帶走了。鵝子打著翅膀叫著，像在求救似的看著我。我覺得心痛，但在債主面前，我是救不了牠的。

如此，我受了他的指揮，手拿母鵝跟他一道到院長官舍之後，再到醫院找院長。

「院長先生，您所看中的鵝的新娘已經送到府上去了。鵝子的新郎新娘和睦相親，樂得什麼似的……」

其實拿去的母鵝被放在這生疏的地方時是驚叫了一陣的，其後即寂寞地蹲在角落裡……這個老練的種苗園老闆卻說得有聲有色，什麼新郎新娘都很和睦相親……。也許這就是做生意的奧祕吧。

如此一說，院長的態度全變了。那個嚴肅得叫人開不了口的人，一時變成了一個喜容滿面的好好先生。

「唔，眞的，那太謝謝你啦！」

一個人之能夠變得這樣的快，眞是叫我難以置信的。但事實卻擺在眼前。院長接著說：

「你們請等一等吧！」他說著走出去一趟，很快就回來了。隨即叫我們馬上到會計那裡去拿錢。就在等著的那很短的時間，他也吩咐護士泡茶，請煙。

臨走時院長還笑嘻嘻地把我們送到門旁，連說謝謝。

到會計拿錢時更叫我大吃一驚的是，每株照舊給了七十錢。在回家途中，種苗園老闆回頭向我笑笑說：

「怎麼樣？他所要的都給他好了。這樣的話，就是每株開一圓，甚至一圓五十錢的價錢，他也決不會說貴的。你要記住，這是公立醫院，貴不貴對他自己的腰包毫無關係。可是，送他不送他，那就大有影響啦。有些公開要回扣，要請客，要紅包的，這個院長不敢如此做，就算很顧面子的了……」

「原來如此……」

我才發現了一個「眞理」似的，可是如此發現卻只加添了我的氣憤和憂鬱。

「這就是共存共榮。」

種苗園老闆又說了。大東亞戰爭就以「共存共榮」爲標榜，連這位鄉下人也學會了這一套。

「共存共榮？」我盯視著他，不得其解。

「是的，生意可以做得非常順利，而互相得益，可不是嗎？」

生意可以做得順利，而互相得益……不錯倒是不錯的，但其背後總有許多人因此蒙受其害。

「共榮經濟的理念」——我又想起林文欽君的著作來了。

林文欽君曾指責英國商人收買清朝的部份官員，而在中國大陸做鴉片生意……這在這些生意人眼裡也正是「共存共榮」，可憎的共存共榮呀！如今我也當了這樣一個串角，不禁心戰膽寒。我隨即算還了他的殘賬，像要逃避他似地走開了。在回家途中，我手拿著那些剩餘的錢，心裡非常不安。這三十圓……說來並不是賺的，是免於損失的，卻是鵝媽媽出嫁的代價……

林文欽君爲求通徹於「共榮經濟理念」而夭逝了。我卻串演了虛僞的「共存共榮」而生存……良心的苛責，叫我非常難受。

回到家裡時，孩子們也都下課回來了。照常把鵝子趕到草地上吃草，可是，卻消失了從前的天眞活潑。失了老伴的鵝子，失了媽媽的小鵝，更顯得寂寞悲傷，左找右覓，發著悲苦的叫聲。

「老伴呀！你到那兒去了？」

好像是這樣叫著尋覓他的老伴似的。

小鵝們更是徬徨著亂在一起，草也不吃了。

我決心要繼承林文欽君的遺著，把「共榮經濟的理念」完成。爲了彌補自己的罪過，這是不可不做的。

缺乏經濟知識的我，這也許是不太容易的事情，但是除非如此，美麗的明天就無可希求。

「不求任何人的犧牲而互相幫助，大家繁榮，這才眞正是……」

我用手帕拭著因淚而發花的眼睛時，忽然覺得林文欽君這最後一句正像一隻巨手在搖撼著我的心。

【注釋】

(1)三疊室—形容室內狹小。即只夠鋪三張榻榻米的空間。

(2)體系化—也稱「系統化」。指多數事物，基於一定秩序相互聯絡，而渾然自成一整體之謂。

(3)出自論語季氏篇。意謂：一個諸侯的國，或卿大夫的家，不愁財富少，只愁財富不能平均；不愁民戶少，只愁上下不能相安。因爲財富平均就沒有貧窮，和諧就不會覺得民少，相安就不會有傾覆的現象。

(4)千餘石—形容年收穫量很可觀的田產。石，音ㄉㄢˋ，俗稱百斤爲石，通「擔」。千餘石等於十萬多斤。

(5)噙—含著。音ㄑㄧㄣˊ。

(6)襤褸—衣服破舊。音ㄌㄢˊㄌㄩˇ。

(7)樹薯—亦稱木薯，原產於熱帶美洲。落葉灌木，地下有肉質長圓柱形塊根，莖有髓，脆而易折，含乳汁，葉互生，花單性同株，無花瓣。塊根富澱粉，供食用或作糊料等，莖、葉可作飼料。

(8)衣裾—衣後襟。裾，音ㄐㄩ。

(9)文竹—多年生草本植物。莖細弱，枝纖細呈葉狀，水平開展。花小、色白。漿果球形，紫黑色。原產南非洲。可盆栽供觀賞用，亦爲瓶花之襯葉。

(10)百合──多年生草本植物，高約七、八公寸。地下有鱗莖。葉披針形，互生。夏天時，莖梢開花，白色帶紅無斑點，有香氣。鱗莖可供食用，味美。

(11)繡球花──原名八仙花，亦名繡毬。落葉小灌木，莖高約一公尺半。葉平滑，形橢圓，有短葉柄，對生，緣邊有鋸齒。花有正花、假花之別。正花形小，隱於中央；假花形大，在花序外圍，有闊大之萼片，頗爲美麗，其花由白而碧而紅。多栽於庭園，供觀賞。

(12)大岩桐──又名新寧治花，屬古苣苔科球根花卉，最先發現於巴西，野生種紫花，花冠下垂。後因育種結果花冠漸大而長，花色有白、紅、紋斑、覆輪等，亦有重瓣品種，花冠直立，性喜高溫多雨，葉面具絨細毛，若水分停留其上易致腐爛。

(13)大理花──亦稱大麗花，一名天竺牡丹。多年生草本植物，原產於墨西哥，俗稱洋菊，高約一公尺半，夏秋開花，有單瓣，有重瓣，其色不一，大而美麗。

【討論】

一、讀完「鵝媽媽出嫁」，試探討本篇小說的主題。
二、舉例說明作者對人性的刻畫。
三、爲了公立醫院那筆生意，作者從接生意到找樹苗，到最後收賬，其間的心路歷程如何？請逐次說明。
四、作者以「天眞」、「書呆子」來形容好友時是什麼心情？
五、院長說作者「不像個生意人」，那麼，院長心目中的眞正生意人，該是何等模樣？
六、小說中，林文欽被定位爲理論家，作者則是實踐家，這樣的安排似乎有著某些含義，試加以討論。

二〇　記憶像鐵軌一樣長

余光中

【作者】

余光中，福建永春人，民國十七年出生於南京，抗戰開始，隨母親流亡於淪陷區，一年後才抵達重慶，與父親團圓。

抗戰勝利後，返回南京。民國三十六年，畢業於南京青年會中學。同年，考取北大和金陵大學，因北方動亂，遂入金陵大學外文系。次年，轉入廈門大學外文系，並在廈門「星光」、「江聲」二報發表新詩及短評。三十八年，大陸淪陷，隨父母遷居香港，失學一年。

民國三十九年來台，考入台大外文系三年級，作品散見各報章雜誌。畢業那年，出版詩集「舟子的悲歌」。民國四十三年，與覃子豪、鍾鼎文、鄧禹平等創立「藍星詩社」，同時也陸續在報章雜誌上發表散文。民國四十八年，獲美國愛奧華大學藝術碩士。返國之後，先後擔任師範大學英語系教授，政治大學西語系主任，並在台大、東吳、淡江、東海等校兼課。其間，曾兩度以傅爾布萊特訪問教授名義，赴美講學四年。民國五十五年，當選十大傑出青年。六十三年，任香港中文大學中文系教授。七十四年八月返台，任中山大學文學院院長。

余光中為當代著名的詩人和散文作家。其詩中有時帶著故國的芬芳，有時是鄉愁的召喚，有時又像一把憤怒的火炬在燃燒，兼具剛強與溫柔的風格。他早期的作品以格律詩見長，帶有三十年代的文學餘風，而題材則是多方面的。等到「天狼星」那首長詩出現後，詩人在文字的駕馭，技巧的使用，精神的發揮，才邁入成熟的境界。余氏以餘力創作散文，取材豐富，饒有感性與理趣，風格晶瑩、明快、幽默、華麗，尤其自「焚鶴人」一書開始，文字更趨近詩，文體也變得複雜，而能含攝多重變化的主題。他先後出版的詩集有：「舟子的悲歌」、「鐘乳石」、「天國的夜市」、「萬聖節」、「蓮的聯想」、「五陵少年」、「敲打樂」、「余光中詩選」、「紫荊賦」等。散文集有：「焚鶴人」、「左手的繆思」、「逍遙遊」、「望鄉的牧神」、「聽聽那冷雨」、「青青邊愁」、「分水嶺上」、「記憶像鐵軌一樣長」。論評集有「掌上雨」。翻譯作品有：「梵谷傳」、「錄事巴托比」、「英美現代詩選」、「滿田的鐵絲網」等。

【題解】

本文是民國七十三年，作者在香港中文大學講學期間的作品。全篇以鐵路為主軸，由大陸而台灣，而美歐，而香港，串綴起種種回憶。看似不相聯貫，細加品味，處處留有作者生活的影子，思想的轉變，好比個人生命中的吉光片羽，極富詩情、畫意和音樂性。

作者曾說自己「右手為詩，左手為文。」也曾稱詩人寫散文為「詩餘」，但他深知詩和散文固然在技巧上有互通之處，究竟兩者還是根本有別的。他認為：「散文可以向詩學一點生動的意象，活潑的節奏，和虛實相濟的藝術，然而散文畢竟非詩。」這些技巧的運用，確實給散文生色不少，讀者可以在本文中找到很多例證。

【本文】

我的中學時代在四川的鄉下度過。那時正當抗戰，號稱天府之國的四川，一寸鐵軌也沒有。不知道為什麼，年幼的我，在千山萬嶺的重圍之中，總愛對著外國地圖，嚮往去遠方遊歷，而且覺得最浪漫的旅行方式，便是坐火車。每次見到月曆上有火車在曠野奔馳，曳著長煙，便心隨煙飄，悠然神往，幻想自己正坐在那一排車窗的某一扇窗口，無窮的風景為我展開，目的地呢，則遠在千里外等我，最好是永不到達，好讓我永不下車。那平行的雙軌一路從天邊疾射而來，像遠方伸來的雙手，要把我接去未知；不可久視，久視便受它催眠。

鄰居的少年那麼神往於火車，大概因為它雄偉而修長，軒昂的車頭一聲高嘯，一節節的車廂鏗鏗跟進，那氣派真是懾人。至於輪軌相激枕木相應的節奏，初則鏗鏘而慷慨，繼則單調而催眠，也另有一番情韻。過橋時俯瞰深谷，真若下臨無地，躡虛而行(1)，一顆心，也忐忐忑忑(2)吊在半空。黑暗迎面撞來，當頭罩下，一點準備也沒有，那是過山洞。驚魂未定，兩壁的迴聲轟動不絕，你已經愈陷愈深，衝進山嶽的盲腸裡去了。光明在山的那一頭迎你，先是一片幽昧的微熹(3)遲疑不決，驀地天光豁然開朗，黑洞把你吐回給白晝。這一連串的經驗，從驚到喜，中間還帶著不安和神秘，歷時雖短而印象很深。

坐火車最早的記憶是在十歲。正是抗戰第二年，母親帶我從上海乘船到安南(4)，然後乘火車北上昆明。滇越鐵路與富良江(5)平行，依著橫斷山脈蹲踞(6)的餘勢，江水滾滾向南，車輪鏗鏗向北。也不知越過多少橋，穿過多少水洞。我靠在窗口，看了幾百里的桃花映水，真把人看得眼紅、眼花。

入川之後，剛亢的鐵軌只能在山外遠遠喊我了。一直要等勝利還都，進了金陵大學，才有京滬路上疾駛的快意。那是大一的暑假，隨母親回她的故鄉武進(7)，鐵軌無盡，伸入江南溫柔的水鄉，柳絲弄晴，輕輕地撫著麥浪。可是半年後再坐京滬路的班車東去，卻不在中途下車，而是直達上海。那是最哀傷的火車之旅了；紅旗渡江的前夕，我們倉皇離京，還是母子同行，幸好兒子已經長大，能夠照顧行李。車廂擠得像滿滿一盒火柴，可是乘客的四肢卻無法像火柴那麼排得平整，而是交肱疊股，摩肩錯臂(8)，互補著虛實。

母親還有座位。我呢，整個人只有一隻腳半踩在茶几上，另一隻則在半空，不是虛懸在空中，而是斜斜地半架半壓在各色人等的各色肢體之間。這麼維持著「勢力均衡」(9)，換腿當然不能，如廁更是妄想。到了上海，還要奮力奪窗而出，否則就會被新湧上車來的回程旅客夾在中間，挾回南京去了。

來臺之後，與火車更有緣分。什麼快車慢車、山線海線，都有緣在雙軌之上領略，只是從前京滬路上的東西往返，這時變成了縱貫線上的南北來回。滾滾疾轉的風火千輪上，現代哪吒(10)的心情，有時是出發的興奮，有時是回程的慵懶，有時是午晴的遐思，有時是夜雨的落寞。大玻璃窗招來豪闊的山水，遠近的城村；窗外的光景不斷，窗內的思緒不絕，真成了情景交融。尤其是在長途，終站尚遠，兩頭都搭不上現實，這是你一切都被動的過渡時期，可以絕對自由地大想心事，任意識亂流。

餓了，買一盒便當充午餐，雖只一片排骨，幾塊醬瓜，但在快覽風景的高速動感下，卻顯得特別可口。臺中站到了，車頭重重地喘一口氣，頸掛零食拼盤的小販一湧而上，太陽餅、鳳梨酥的誘惑總難以拒絕。照例一盒盒買上車來，也不一定是為了有多美味，而是細嚼之餘有一股甜津津的鄉情，以及那許多年來，唉，從年輕時起，在這條線上進站、出站、過站、初旅、重遊、揮別，重重疊疊的回憶。

最生動的回憶卻不在這條線上，在阿里山和東海岸。拜阿里山神是在十二年前。朱紅色的窄軌小火車在洪荒的岑寂裡盤旋而上，忽進忽退，忽蠕蠕⑾於懸崖，忽隱身於山洞，忽又引吭一呼，回聲在峭壁間來回反彈。萬綠叢中牽曳著一線媚紅，連高古的山顏也板不起臉來了。

拜東岸的海神卻近在三年以前，是和我存一同乘電氣化火車從北迴線南下。浩浩的太平洋啊，日月之所出，星斗之所生，畢竟不是海峽所能比，東望，是令人絕望的水藍世界。起伏不休的鹹波，在遠方，搖撼著多少個港口多少隻船，捫不到邊，探不到底，海神的心事就連長錨千丈也難窺。一路上怪壁礙天，奇岩鎮地，被千古的風浪蝕刻成最醜所以也最美的形貌，羅列在岸邊如百里露天的藝廊，刀痕剛勁，一件件都鑿著時間的簽名，最能滿足狂士的「石癖」。不僅岸邊多石，海中也多島。火車過時，一個個島嶼都不甘寂寞，跟它賽起跑來。畢竟都是海之囚，小的，不過跑三兩分鐘，大的，像龜山島，也只能追逐十幾分鐘，就認輸放棄了。

薩洛揚⑿的小說裡，有一個寂寞的野孩子，每逢火車越野而過，總是興奪地在後面追趕。四十年前在四川的山國裡，對著世界地圖悠然出神的，也是那樣寂寞的一個孩子，只是在他的門前，連火車也不經過。後來遠去外國，越洋過海，坐的卻常是飛機，而非火車。飛機雖可想成莊子的逍遙之遊，列子的御風之旅，但是出沒雲間，遊行虛碧⒀，變化不多，機窗也太狹小，久之並不耐看。那像火車的長途，催眠的節奏，多變的風景，從闊窗裡看出去，又像是在人間，又像駛出了世外。所以在國外旅行，凡鏗鏗的雙軌能到之處，我總是站在月臺——名副其實的「長亭」⒁——上面，等那陽剛之美的火車轟轟隆隆其勢不斷地踹進站來，來載我去遠方。

在美國的那幾年，坐過好多次火車。在愛奧華城⒂讀書的那一年，常坐火車去芝加哥看劉鎏和孫璐。美國是汽車王國，火車並不考究。去芝加哥的老式火車頗有十九世紀遺風，坐起來實在不大舒服，但沿途的風景卻看之不倦。尤其到了秋天，原野上有一股好聞的淡淡焦味，太陽把一切成熟的東西焙得更成熟，黃透的楓葉雜著赭盡的⒃橡葉，一路豔燒到天邊，誰見過那樣美麗的火災呢？過密西西比河，鐵橋上敲起空曠的鏗鏘，橋影如網，張著抽象美的線條，倏忽已踹過好一片壯闊的煙波。等到暮色在窗，芝城的燈火迎面漸密，那黑人老車掌就喉音重濁地喊出站名：Tanglewood！

有一次，從芝城坐火車回愛奧華城。正是耶誕假後，滿車都是回校的學生，大半還背著、拎著行囊，更形擁擠。我和好幾個美國學生擠在兩節車廂之間，等於站在老火車軋軋交掙的關節之上，又凍又渴。飲水的紙杯在眾人手上，從廁所一路傳到我們跟前。更嚴重的問題是不能去廁所，因為連那裡面也站滿了人。火車原已誤點，我們在呵氣翳窗的芝城總站上早已困立了三、四個小時，偏偏隆冬的膀胱最容易注滿。終於「滿載而歸」，一直熬到愛大的宿舍。一瀉之餘，頓覺身輕若仙，重心全失。

美國火車經常誤點，真是惡名昭彰。我在美國下決心學開汽車，完全是給老爺火車激出來的。火車誤點，或是半途停下來等到地老天荒，甚至為了說不清楚的深奧原因向後倒開，都是最不浪漫的事。幾次耽誤，我一怒之下，決定把方向盤握在自己手裡，不問山長水遠，都可即時命駕。執照一到手，便與火車分道揚鑣，從此我騁我的高速路，它敲它的雙鐵軌。不過在高速路旁，偶見迤迤的列車同一方向疾行，那修長而魁偉的體魄，那穩重而驃悍的氣派，尤其是在天高雲遠的西部，仍令我怦然心動。總忍不住要加速去追趕，興奮得像西部片裡馬背上的大盜，直到把它追進了山洞。

一九七六年去英國，周榆瑞帶我和彭歌去劍橋⑰一遊。我們在維多利亞車站的月臺上候車，匆匆來往的人群，使人想起那許多著名小說裡的角色，在這「生之漩渦」裡捲進又捲出的神色與心情。火車出城了，一路開得不快，看不盡人家後院曬著的衣裳，和紅磚翠籬之間明豔而動人的園藝。那年西歐大旱，耐乾的玫瑰卻恣肆著嬌紅。不過是八月底，英國給我的感覺卻是過了成熟焦點的晚秋，儘管是遲暮了，仍不失為美人。到劍橋飄起霏霏的細雨，更為那一幢幢儼整雅潔的中世紀學院平添了一分迷朦的柔美。經過人文傳統日琢月磨的景物，畢竟多一種沉潛的秀逸氣韻，不是鋁光閃閃的新廈可比。在空幻的雨氣裡，我們撐著黑傘，踱過劍河上的石洞拱橋，心底迴旋的是米爾頓[18]牧歌中的抑揚名句，不是硤石才子[19]的江南鄉音。紅磚與翠藤可以為證，半部英國文學史不過是這河水的回聲。雨氣終於濃成暮色，我們才揮別了燈暖如橘的劍橋小站。往往，大旅途裡最具有風味的，是這種一日來回的「便遊」（side trip）。

兩年後我去瑞典開會，回程順便一遊丹麥與西德，特意把斯德哥爾摩到哥本哈根的機票，換成黃底綠字的美麗火車票。這一程如果在雲上直飛，一小時便到了，但是在鐵軌上輪轉，從上午八點半到下午四點半，卻足足走了八個小時。雲上之旅海天一色，美得未免抽象。風火輪上八小時的滾滾滑行，卻帶我深入瑞典南部的四省，越過青青的麥田和黃豔豔的芥菜花田，攀過銀樺蔽天杉柏密矗的山地，渡過北歐之喉的峨瑞升德海峽，在香熟的夕照裡駛入丹麥。瑞典是森林王國，火車上凡是門窗几椅之類都用木製，給人的感覺溫厚而可親。車上供應的午餐是烘麵包夾鮮蝦仁，灌以甘冽的嘉士伯啤酒，最合我的胃口。瑞典南端和丹麥北部這一帶，陸上多湖，海中多島，我在詩裡說這地區是「屠龍英雄的澤國，佯狂王子的故鄉」，想像中不知有多陰鬱多神秘。其實那時候正是春夏之交，緯度高遠的北歐日長夜短，柔藍的海峽上，遲暮的天色久久不肯落幕。我在延長的黃昏裡獨遊哥本哈根的夜市，向人魚之港的燈影花香裡，尋找疑真疑幻的傳說。

　　西德之旅，從杜塞爾多夫到科隆的一程，我也改乘火車。德國的車廂跟瑞典的相似，也是一邊是狹長的過道，另一邊是方形的隔間，裝飾古拙而親切，令人想起舊世界的電影。乘客稀少，由我獨佔一間，皮箱和提袋任意堆在長椅上。跟灰與橘紅相映的火車沿萊茵河南下，正自縱覽河景，查票員說科隆到了。剛要把行李提上走廊，猛一轉身，忽然瞥見蜂房蟻穴[20]的街屋之上峻然拔起兩座黑黝黝的尖峰，瞬間的感覺，極其突兀而可驚。定下神來，火車已經駛近那一雙怪物，峭險的尖塔下原來還整齊地繞著許多小塔，鋒芒逼人，拱衛成一派森嚴的氣象，那麼崇高而神秘，中世紀哥德式的肅然神貌聳在半空，無聞於下界瑣細的市聲。原來是科隆的大教堂，在萊茵河畔頂天立地已七百多歲。火車在轉彎。不知道是否因為車身微側，竟感覺那一對巨塔也峨然傾斜，令人吃驚。不但飛機迴降時成何景象，至少火車進城的這一幕十分壯觀。

三年前去里昂參加國際筆會的年會，從巴黎到里昂，當然是乘火車，為了深入法國東部的田園詩裡，看各色的牛群，或黃或黑，或白底而花斑，嚼不盡草原上緩坡上遠連天涯的芳草萋萋。陌生的城鎮，點名一般地換著站牌。小村更一現即逝，總有白楊或青楓排列於鄉道，掩映著粉牆紅頂的村舍，襯以教堂的細瘦尖塔，那麼秀氣地針著遠天。席思禮(21)、畢沙洛(22)，在初秋的風裡吹弄著牧笛嗎？那年法國剛通了東南線的電氣快車，叫做 Le TGV（Train a' Grande Vitesse），時速三八〇公里，在報上大事宣揚。回程時，法國筆會招待我們坐上這嬌紅的電鰻；由於座位是前後相對，我一路竟倒騎著長鰻進入巴黎。在車上也不覺得怎麼「風馳電掣」，頗感不過如此。今年初夏和紀剛、王藍、健昭、楊牧一行，從東京坐子彈車射去京都，也只覺其「穩健」而已。車到半途，天色漸昧，正吃著鰻魚佐飯的日本便當，吞著苦澀的札幌啤酒，車廂裡忽然起了騷動，驚嘆不絕。在鄰客的探首指點之下，迓見富士山的雪頂白矗晚空，明知其為真實，卻影影綽綽，像一片可怪的幻象。車行極快，不到三五分鐘，那一影淡白早已被近丘所遮。那樣快的變動，敢說浮世繪的畫師，戴笠跨劍的武士，都不曾見過。

臺灣中南部的大學常請臺北的教授前往兼課，許多朋友不免每星期南下臺中、臺南或高雄。從前龔定盦(23)奔波於北京與杭州之間，柳亞子(24)說他「北駕南艤到白頭」。這些朋友在島上南北奔波，看樣子也會奔到白頭，不過如今是在雙軌之上，不是駕馬艤舟。我常笑他們是演「雙城記」，其實近十年來，自己在臺北與香港之間，何嘗不是如此？在臺北，三十年來我一直以廈門街為家。現在的汀州路二十年前是一條窄軌鐵路，小火車可通新店。當時年少，我曾在夜裡踏著軌旁的碎石，鞋聲軋軋地走回家去，有時索性走在軌道上，把枕木踩成一把平放的長梯。時常在冬日的深宵，詩寫到一半，正獨對天地之悠悠，寒顫的汽笛聲會一路沿著小巷嗚嗚傳來，淒清之中有其溫婉，好像在說：全臺北都睡了，我也要回站去了，你，還要獨撐這傾斜的世界嗎？夜半鐘聲到客船，那是張繼。而我，總還有一聲汽笛。

在香港，我的樓下是山，山下正是九廣鐵路的中途。從黎明到深夜，在陽臺下滾滾輾過的客車、貨車，至少有一百班。初來的時候，幾乎每次聽見車過，都不禁要想起鐵軌另一頭的那一片土地，簡直像十指連心。十年下來，那樣的節拍也已聽慣，早成大寂靜裡的背景音樂，與山風海潮合成渾然一片的天籟了。那輪軌交磨的聲音，遠時哀沉，近時壯烈，清晨將我喚醒，深宵把我搖睡，已經潛入了我的脈搏，與我的呼吸相通。將來我回去臺灣，最不慣的恐怕就是少了這金屬的節奏，那就是真正的寂寞了。也許應該把它錄下音來，用最敏感的機器，以備他日懷舊之需。附近有一條鐵路，就似乎把住了人間的動脈，總是有情的。

香港的火車電氣化以後，大家坐在冷靜如冰箱的車廂裡，忽然又懷起古來，隱隱覺得從前的黑頭老火車，曳著煤煙而且重重嘆氣的那種，古拙剛愎之中仍不失可親的味道。在從前那種車上，總有小販穿梭於過道，叫賣齋食與「鳳爪」，更少不了的是報販。普通票的車廂裡，不分三教九流，男女老幼，都雜雜沓沓地坐在一起，有的默默看報，有的怔怔望海，有的瞌睡，有的啃雞爪，有的閒閒地聊天，有的激昂慷慨地痛論國是，但旁邊的主婦並不理會，只顧得呵斥自己的孩子。如果你要香港社會的樣品，這裡便是。周末的加班車上，更多廣州返來的回鄉客，一根扁擔，就挑盡了大包小籠。此情此景，總令我想起杜米葉（Honoré Daumier）(25)的名畫「三等車上」。只可惜香港沒有產生自己的杜米葉，而電氣化後的明淨車廂裡，從前那些汗氣、土氣的乘客，似乎一下子都不見了，小販子們也絕跡於月臺。我深深懷念那個摩肩抵肘的時代。站在今日劃了黃線的整潔月臺上，總覺得少了一點什麼，直到記起了從前那一聲汽笛長嘯。

寫火車的詩很多，我自己都寫過不少。我甚至譯過好幾首這樣的詩，卻最喜歡土耳其詩人塔朗吉（Cahit Sitki Taranci）的這首：

去什麼地方呢，這麼晚了，
美麗的火車，孤獨的火車？
淒苦是你汽笛的聲音，
令人記起了許多事情。

為什麼我不該揮舞手巾呢？
乘客多少都跟我有親。
去吧，但願你一路平安，
橋都堅固，隧道都光明。

一九八四年五月七日

【注釋】

(1)躡虛而行─跨越天空而行。躡，踐、踏。音ㄋㄧㄝˋ。

(2)忐忐忑忑─心神不定。忐，音ㄊㄢˇ。忑，音ㄊㄜˋ。

(3)微熹─微明。

(4)安南─本為我國的藩屬，西元一八八五年被法國所併吞。一九五五年獨立，改稱「越南」。

(5)富良江─上游即雲南的元江，流入越南後，叫富良江，又名紅河，或稱東京河，注入東京灣。

(6)蹲踞─彎曲著腿站著。這裡形容鐵道依山而建的形勢。

(7)武進─江蘇省縣名，在無錫縣西北。

(8)肱，上臂。股，大腿。錯，雜亂。胳臂交叉，大腿重疊，肩膀相挨，手臂雜錯著。這是形容火車上擁擠的樣子。

(9)勢力均衡─指在擁擠的車廂裡保持身體的平衡，不會摔倒。

(10)現代哪吒─哪吒太子，本為佛家護法神，相傳是毘沙門天王之子。封神演義中也有哪吒太子，腳踩風火輪，來去自如。現代人搭火車，車行迅捷，故有此稱。

(11)蠕蠕—蟲爬行的樣子。蠕，音ㄖㄨˊ。

(12)薩洛陽—William Saroyan（1908～）美國小說家。作品多取材於亞美尼亞裔移民的生活，以幽默和悲傷描寫自傳性插曲。

(13)虛碧—即碧虛，此處指天空。杜甫秋野詩之一：「秋野日疏蕪，寒光動碧虛。」

(14)長亭—秦、漢時十里置亭，也叫做長亭，是行人休憩及餞別的地方。

(15)愛奧華城—在美國中北部，密西西比河西岸。

(16)赭盡的—赭，赤色，音ㄓㄜˇ。赭盡的，紅過了頭的。

(17)劍橋—Cambridge，位於英格蘭東南部，距倫敦約九十公里。市內有許多古蹟，著名的劍橋大學就建在這裡。

(18)米爾頓—John Milton（1608～1674）英國詩人。因反對查理一世的宗教改革，棄神職而轉向文學創作。代表作「失樂園」，被認為是英國文學史上最佳的敘事詩。

(19)硤石才子—近代詩人徐志摩（1895～1931），浙江海寧縣硤石鎮人。

(20)蜂房蟻穴—像蜂窩蟻穴一樣，比喻房屋聚集密布。

(21)席思禮—Alfred Sisley（1839～1899），法國畫家，印象派創始人之一。作品色彩十分柔美和諧，所畫雪景尤有魅力。

(22)畢沙洛—Camille Pissarro（1830～1903），法國印象派畫家。對大自然精細的觀察，往往以房屋、樹林、草堆、田地、河上風景等為題材，其點彩技法生動地反映出閃爍的光線。一生作畫多達一千六百餘幅。

(23)龔定盦—清代詩人龔自珍的號。自珍，浙江仁和人，道光九年進士，官禮部主事。有志經世之學，詩文皆負盛名。

(24)柳亞子—民初文人（一八八七—一九五八），原名慰高，江蘇吳江人。以主持文學團體「南社」及研究蘇曼殊作品著名。

(25)杜米葉—Honor'e Daumier（1808~1879），法國印象派畫家。作品在風格或題材方面都具有高度的獨創性，曾受到馬奈和莫內的讚賞。

【問題與討論】

一、本文敘事以鐵路為主軸，串綴起作者少年、青年、中年種種的記憶，讀者能否從本文看出他的心理狀態與環境的變遷？

二、作者善於捕捉優美的意象、活潑的節奏，化為優美流暢的作品，試在本文中找出二、三個實例，並加以賞析。

三、請舉出二個作者在國外搭火車的經驗，說明異國的特殊情調。

四、依你看，作者最喜愛的火車之旅是在什麼地方？其理由何在？

附錄　一般公文

第一節　公文之意義

公文，謂處理公務之文書也，古稱官書。周禮天官宰夫：『掌百府之徵令，辨其八職。……六曰史，掌官書以贊治。』又稱文書。漢書刑法志：『文書盈於几閣，典者不能偏睹。』亦稱文牘。宋史梅執禮傳：『句稽財貨，文牘山委。』其類別包括上古之典（法規）、謨（計畫書）、訓（教誡）、誥（布告及公文）、誓（出征時告軍民書），以及歷代之詔、諭、奏、章、疏、表、檄、移……等，名目繁多，難可詳悉。

公文既為處理公務之文書，依此意義，公文必須具備左列二要件：

一、**必須為有關公務之文書**　文書本有私文書與公文書之別，文書若僅由私人撰述，既非處理公務之作，亦與公務無關，例如私人之信函、著作，僅得謂之私文書。故公文必其文書與公務有關，此為公文應具備之第一要件。

二、**文書之處理者至少須有一方為機關**　機關與機關間因處理公務而往返之文書，其文書之處理者，雙方均為機關，故謂之公文。其機關因處理公務而與人民往返之文書，其文書之發出者或收受者，至少有一方為機關，故亦得稱為公文。此為公文應具備之第二要件。

所謂機關，應包括官署，及非官署性質之機關。例如民意機關、國營事業機關等。所謂人民，應包括箇人，及人民之團體。例如各種職業團體、文化團體、及其他社會團體。凡官署相互間、官署與團體間往返之文書，自均稱爲公文。至於團體相互間及團體與人民間往返之文書，是否亦得稱爲公文，則須視團體之性質及其在法律上所處之地位，以及其他法令有無特別規定以爲斷。

第二節　公文程式之意義

公文程式者，謂公文所應具有之一定程序與格式。就公文之程序言，例如：發表人事任免用『令』，對總統有所呈請用『呈』，各機關處理公務用『函』，以及公文除應分行者外，並得以副本抄送有關機關，均屬於公文之程序範圍。就公文之格式言，例如：機關公文應由機關長官署名蓋章，應蓋用機關印信，並記明年月日時及發文字號，公文得分段敍述冠以數字，以及公文文字應加具標點符號，均屬於公文之格式範圍。綜合公文之程序與格式而言，是爲公文程式。

惟公文程式條例所規定之公文程式，側重機關對於本機關以外行文之程式，至於各機關內部之公文程式，則屬各機關內部之公文處理問題，其程序及格式，多不畫一，故未嚴格加以規定。因此本書選錄公文，多就現行公文程式條例所規定之種類，舉例示範，以供隅反。至於各機關內部通用之公文，如簽、報告之類，亦略舉一二，俾便初學。

第三節 公文程式之演變

公文之名稱程式，隨時代而演變，其名稱見於蕭統文選、姚鼐古文辭類纂、李兆洛駢體文鈔、曾國藩經史百家雜鈔之詔令、奏議、書牘諸類者，不下數十種。惟在專制時代，公文被視爲官書，其程式制度，不爲一般民衆所通曉。直至民國成立，建立民主政治，遂於民國元年，由南京臨時政府制定一項公文程式，頒布施行，是爲我國第一次向人民公布之公文程式。此後屢經修訂，至四十一年七月行政院所擬之公文程式條例修正草案，經立法院修正通過，總統明令公布後，乃成爲最近之公文程式條例。二十年來，遵行不替。惟此種舊式公文，用語或流於浮濫，程式或過於陳舊，影響推行政治革新甚大，行政院祕書處乃又於九十六年三月廿一日修正公布公文程式條例，通行至今。茲將民國以來各次公布之公文程式，列一簡表，明其演變，並錄現行公文程式條例於後，以便參考。

㈠民國以來公文程式種類演變表

次數	公布日期			名稱	種類
	年	月	日		
一	一	十一	六	令・布告・狀・咨・公函・呈・批	七
二	三	五	二六	㈠令・咨（大總統公文程式） ㈡封寄・交片・咨呈・咨・公函（大總統府政事堂公文程式） ㈢呈・詳・飭・咨・咨呈・示・批・稟（官署公文程式）	十五

三	五	七	二九	大總統令・國務院令・各部會令・任命狀・委任狀・訓令・指令・布告・咨・咨呈・呈・公函・批	十三
四	十六	八	十三	令・通告・訓令・指令・任命狀・呈・咨・咨呈・公函・批答	十
五	十七	六	十一	令・訓令・指令・布告・任命狀・呈・公函・狀・批	九
六	十七	十一	十五	令・訓令・指令・布告・任命狀・呈・咨・公函・批	九
七	四一	十一	二一	令・咨・函・公告・通知・呈・申請書	七
八	六二	十一	三	令・呈・咨・函・公告・其他公文	六
九	八二	二	三	咨・其他公文	二
十	九六	三	二一	咨	一

附　公文程式條例

中華民國十七年十一月十五日國民政府制定公布
中華民國四十一年十一月二十一日總統令修正公布全文十條
中華民國六十一年一月二十五日總統令修正公布全文十四條
中華民國六十二年十一月三日總統令修正公布第二條、第三條條文
中華民國八十二年二月三日總統令修正公布第二條、第三條；並增訂第十二條之一條條文
中華民國九十三年五月十九日總統令修正公布第七條、第十三條、第十四條條文；本條例修正條文第七條施行日期，由政院院以命令定之
中華民國九十三六月十四日行政院院臺祕字第 0930086166 號令發布第七條定自九十四年一月一日施行
中華民國九十六年三月二十一日總統令修正公布第二條條文

第一條　稱公文者，謂處理公務之文書；其程式，除法律別有規定外，依本條例之規定辦理。

第二條　公文程式之類別如左：

一、令：公布法律、任免、獎懲官員，總統、軍事機關、部隊發布命令時用之。

二、呈：對總統有所呈請或報告時用之。

三、咨：總統與國民大會、立法院、監察院公文往復時用之。

四、函：各機關間公文往復，或人民與機關間之申請與答復時用之。

五、公告：各機關對公眾有所宣布時用之。

六、其他公文。

前項各款之公文，必要時得以電報、電報交換、電傳文件、傳真或其他電子文件行之。

第三條　機關公文，視其性質，分別依照左列各款，蓋用印信或簽署：

一、蓋用機關印信，並由機關首長署名，蓋職章或蓋簽字章。

二、不蓋用機關印信，僅由機關首長署名，蓋職章或蓋簽字章。

三、僅蓋用機關印信。

機關公文依法應副署者，由副署人副署之。

機關內部單位處理公務，基於授權對外行文時，由該單位主管署名，蓋職章，其效力與蓋用該機關印信之公文同。

機關公文蓋用印信或簽署及授權辦法，除總統府及五院自行訂定外，由各機關依其實際業務自行擬訂，函請上級機關核定之。

機關公文以電服、電報交換、電傳文件或其他電子文件行之者，得不蓋用印信或簽署。

第四條　機關首長出缺由代理人代理首長職務時，其機關公文應由首長署名者，由代理人署名。

機關首長因故不能視事，由代理人代行首長職務時，其機關公文，除署首長姓名註明不能視事事由外，應由代行人附署職銜、姓名於後，並加註代行二字。

機關內部單位基於授權行文，得比照前二項之規定辦理。

第五條　人民之申請函，應署名、蓋章，並註明性別、年齡、職業及住址。

第六條　公文應記明國曆年、月、日。

機關公文，應記明發文字號。

第七條　公文得分段敘述，冠以數字，採由左而右之橫行格式。

第八條　公文文字應簡淺明確，並加具標點符號。

第九條　公文，除應分行者外，並得以副本抄送有關機關或人民；收受副本者，應視副本之內容爲適當之處理。

第十條　公文之附屬文件爲附件，附件在二種以上時，應冠以數字。

第十一條　公文在二頁以上時，應於騎縫處加蓋章戳。

第十二條　應保守祕密之公文，其制作、傳遞、保管，均應以密件處理之。

第十二條之一　機關公文以電報交換、電傳文件、傳真或其他電子文件行之者，其制作、傳遞、保管、防僞及保密辦法，由行政院統一訂定之。但各機關另有規定者，從其規定。

第十三條　機關致送人民之公文，除法規另有規定外，依行政程序法有關送達之規定。

第十四條　本條例自公布日施行。

本條例修正條文第七條施行日期，由行政院以命令定之。

（按：中華民國九十三年六月十四日行政院院臺祕字第〇九三〇〇八六一六六號令發布第七條定自九十四年一月一日施行）

第四節　現行公文之分類

現行公文分類，依公文程式條例之規定，有令、呈、咨、函、公告、其他公文等六種。依其行文之系統，可分爲上行文、平行文、下行文三類。

一、**上行文**　爲下級機關向所屬上級機關及其他高級機關所爲意思表示之文書。

二、**平行文**　爲同級機關相互對待所爲意思表示之文書，以及人民與機關間之申請與答復時所用之文書。

三、**下行文**　爲上級機關對所屬下級機關所爲意思表示之文書。

上列每類公文均包括若干性質不同之文書。茲就現行公文程式條例規定之六種列舉於後，並說明其用途。

一、上行文

(一)**呈**　呈有呈送奉上之意，故向上司用文書有所陳述謂之呈。依現行公文程式條例規定，僅限於對總統有所呈請或報告時用之，其使用範圍較前縮小甚多。

(二)**函**　函原稱公函，現行條例省去『公』字。下級機關對上級機關有所請求或報告時用之。按函在公文中使用範圍最廣，舊時上行文之呈，平行文之咨，下行文之令，多歸入其領域。

二、平行文

(一)**咨**　咨文舊爲同級機關往來時所用之文書，現行公文程式條例規定惟總統與立法院、監察院公文往復時用咨，其餘同級機關皆用函。蓋立法監察兩院，皆由民選委員所組成，其院長之產生，亦由互選而不由任命，總統與兩院公文往復時用咨，深爲符合民主精神。按咨有咨詢商洽之意，與令文含有強制性與拘束力者不同，依其性質可分爲咨請、咨會、咨查、咨復、咨送五種。

(二)**函**　同級機關或不相隸屬機關間行文時，以及民衆與機關間之申請與答覆時用之。

三、下行文

(一)**令**　令之本義爲發號施令，故含有強制性。受令機關奉令後卽應遵行，不得延宕。依現行條例所規定之用途，共有四種：(1)公布法律及行政規章。(2)發表人事任免、調遷、獎懲、考績。(3)總統發布命令。(4)軍事機關、部隊發布命令。

(二)**函**　上級機關對所屬下級機關有所指示、交辦、批復時用之。

四、公　告

原稱布告，爲對公衆宣布事實或有所勸誡時所用之文書。其用途有四：一爲**曉示**，用於官吏就職及行政上有所興革，向民衆公告。二爲**宣告**，用於公布國家或地方所發生重要事件之詳情等。三爲**示禁**，即對於妨害國家或社會之事物，出示禁止。四爲**徵求**，凡應行政需要，徵求人力物力，或徵求人民意見等用之。

五、其他公文

㈠**書　函**　書函舊稱箋函、便函。凡機關或單位間，於公務未決階段，需要磋商、陳述、徵詢意見、協調、通報，或下級機關首長對上級機關首長有所請示、報告時用之。以信紙書寫，僅加條戳卽可，其手續較之公函須用印信者大爲簡便。

㈡**表格化公文**　可用表格處理公務之公文。包括⑴簡便行文表。⑵開會通知單。⑶公務電話紀錄。⑷其他可用表格處理之公文如『移文單』、『退文單』等。

㈢**簽**　舊稱簽呈，爲幕僚對長官或下級機關首長對上級機關首長處理公務時表達意見，以供了解案情，並作抉擇之依據。係人對人，而非機關對機關。

㈣**通　告**　亦有稱通報者。凡機關內某一單位須將某一事項通告本機關全體同仁週知時用之。

㈤**通　知**　機關內部各單位間有所洽辦或通知時用之。對外行文如內容簡單時亦可用通知，多係對個人而爲。

㈥**證明書**　簡稱證書。爲機關學校社團對某一個人有所證明時用之，如在職證明書、畢業證書等。

㈦**手　諭**　爲長官對屬員有所訓示或傳知時所用之書面，無一定格式。

㈧**報　告**　爲應用甚廣之特殊公文，性質與『簽』同，惟『簽』僅限於公務上使用，而「報告」則多用於私務。凡機關、學校、人民團體，僚屬陳述私人偶發事故，請求上級了解，或請代爲解決困難，宜以『報告』爲之。學校學生對校方有所申請或陳述時，亦宜用『報告』。

按『簽』『報告』爲上行文，『通告』『通知』爲平行文，『手諭』爲下行文，其餘則一體適用。

六、電及代電

公文用『電』，旨在急速，『代電』原爲『快郵代電』之縮寫，次急者用之。民國二十六、七年抗戰期間，羽書旁午，公文多屬急件，故多採用『電』或『代電』。又不相隸屬之機關，以彼此官階懸殊，稱謂不便，亦多以『電』或『代電』代之，以求簡便。依現行公文程式條例規定，除公告以外之公文，必要時得以電或代電行之，是電或代電之效能，兼及公文中之呈、咨、函、令等。惟『電』因拍發關係，不便分段繕寫，亦不需標點、擡頭、摘由、結束語等。其起首語通常爲『某某機關』『某某職銜』，而於機關名稱之上，冠以機關所在地之地名，並或冠以『特急』、『火急』或『限某時某刻到』等字句，以示電文之緊急性及時間性。結尾則署發電機關名稱或發電者職銜姓名。最後則爲日期。日期每以十二地支代月，而以詩韻韻目代日。至於電文措詞，自應力求簡潔，惟簡潔之中，仍宜明顯而不疏漏。

『代電』既爲以前公文中『快郵代電』之縮寫，用於次急之公文。其格式本與『電』同，特不用電拍發，而交郵遞寄。近年來各機關用代電時，幾與函、呈等類公文之格式完全相同。

茲將十二地支代月分表、韻目代日表附錄於後，以備參檢。

(二)地支代月分表

地支	月分
子	一月
丑	二月
寅	三月
卯	四月
辰	五月
巳	六月
午	七月
未	八月
申	九月
酉	十月
戌	十一月
亥	十二月

(三)韻目代日表

日期／韻目	上平聲	下平聲	上聲	去聲	入聲
一日	東	先	董	送	屋
二日	冬	蕭	腫	宋	沃
三日	江	肴	講	絳	覺
四日	支	豪	紙	寘	質
五日	微	歌	尾	未	物
六日	魚	麻	語	御	月
七日	虞	陽	麌	遇	曷
八日	齊	庚	薺	霽	黠
九日	佳	青	蟹	泰	屑
十日	灰	蒸	賄	卦	藥
十一日	眞	尤	軫	隊	陌
十二日	文	侵	吻	震	錫
十三日	元	覃	阮	問	職
十四日	寒	鹽	旱	願	緝
十五日	刪	咸	潸	翰	合
十六日			銑	諫	葉
十七日			篠	霰	洽
十八日			巧	嘯	
十九日			晧	效	
二十日			哿	號	
廿一日			馬	箇	
廿二日			養	禡	
廿三日			梗	漾	
廿四日			迥	敬	
廿五日			有	徑	
廿六日			寑	宥	
廿七日			感	沁	
廿八日			儉	勘	
廿九日			豏	豔	
三十日				陷	

附註：如係三十一日可用『世』字，亦有用『引』字者。

【說　明】

(一)一至十五日多用上平聲或下平聲韻目代之。

(二)十六至三十日多用上聲韻目代之。

第五節　公文之結構

公文施行，有其原因、依據、目的。因之，本正確之立場，合法之程式，用簡明適當之文字以表達之，使構成一篇完整之公文，是謂公文之結構。關於公文之結構，全篇可分爲九部門。除公布令、任免令、公告外，其餘各類，大都如此。茲分別說明如次：

一、**機關名稱及文別**　此爲表示發文主體，使人一望而知爲某一機關之來文，及來文之類別。機關名稱應寫全銜。

二、**年月日及編字號**　任何公文，在發文時皆應記明年月日及編列發文字號，此於現行公文程式條例中已有明文規定。實則收文時亦應如此。蓋記時之作用，乃爲法律上時效之根據。編號之作用，在便於檢查。在收發文雙方，皆有此必要。故公文往覆時，常將來文年月日及字號寫明，一則使己方便於引據，同時亦使對方便於考查也。

三、**受文者**　此爲行文之對象，應寫在發文者之後。亦應書寫全銜。

四、**副本收受者**　此欄列於受文者之後，係於公文涉及其他有關機關或人民時，以與正本完全相同之副本行之。副本收受者應於公文中標明。

五、**本　文**　卽公文之主體，其結構視需要分爲『主旨』、『說明』、『辦法』三段，或僅採用一段、兩段均可。除『主旨』外，『說明』及『辦法』之段名亦可變通爲『經過』、『原因』或『建議』、『擬辦』等名稱。在本文內，應將行文之原因、內容、目的作簡淺明確之敍述。茲說明其要點如次：

㈠**主　旨**　爲全文精要，以說明行文之目的與期望。此段文字敍述，應力求具體扼要。簡單公文，儘量用此一段完成。能用一段完成者，勿硬性分割爲二段、三段。

㈡**說　明**　當案情必須就事實、來源或理由，作較詳細之敍述，不宜於『主旨』內容納時，用本段條列說明。本段標題，因公文內容改用其他名稱更恰當時，可由各機關自行規定。

㈢**辦　法**　向受文者提出之具體要求無法在『主旨』內簡述時，用本段列舉。本段標題，可因公文內容改用『建議』『請求』『擬辦』等更適當之名稱。

六、附　件　公文如有附件，則應在本文中或附件欄註明，以促使受文者之注意。附件在二種以上時，應冠以數字，並在本文之後詳載其件數，以便稽考。又附件亦應蓋印。

七、署　名　本文敍述完畢，無論上行文、平行文、下行文均應由發文機關首長簽署，如『部長〇〇〇』、『局長〇〇〇』，以示負責。另依據公文程式條例第四條之規定，機關首長出缺由代理人代理首長職務時，其應由首長署名之公文由代理人署名，惟須在職銜上加一『代』字。機關首長如因請假、公出、受訓等事故而不能視事，由代理人代行首長職務時，其機關公文除署首長姓名並註明不能視事原因外，應由代行人附署職銜、姓名於後，並加註『代行』二字。

八、印　信　機關公文蓋用印信及首長簽署，旨在防止僞造、變造，以資信守。惟如每一公文均如此辦理，則不易判明行政責任，亦無法達到分層負責之目的。若一律不用印信或簽署，則又因公文之性質內容不同而未盡妥適，故現行公文程式條例改採折衷辦法，規定機關公文可視其性質，靈活使用。（請參閱公文程式條例第三條）

九、**副　署**　副署為依法應副署之人，在公文之首長署名之後，加以副署，以示與首長共同負責之意。按照憲法規定，凡總統所發佈之命令，均須由行政院院長副署。又如某一公文之內容性質涉及於行政院所屬有關部會時，除總統主署外，應有行政院院長及有關部會首長之副署，否則此一公文即失去其效力。又不需副署之公文，亦不得任意加以副署。

以上九種，為一般公文中所常見，惟『副本收受者』、『附件』、『副署』三種非每一公文所應具，當視實際需要，權宜使用，不可拘泥。

第六節　公文之副本

公文之副本，係對正本而言，即行文於必要時，將公文正本之『拷貝』（copy）分送有關機關或人民。公文程式條例第九條規定：『公文除應分行者外，並得以副本抄送有關機關或人民。收受副本者，應視副本之內容為適當之處理。』由本條前半段觀之，可知副本之要素為：

一、副本之性質，仍為公文，故須具有公文應具備之程式。

二、副本之內容，必須與公文正本內容完全相同，否則即失去副本之性質。

三、副本之受文者，為正本受文者以外之有關機關。

由本條後半段觀之，可知副本之作用爲：

一、**加强各級機關間之聯繫**　公文以正本發往某機關，同時以副本分送其他有關機關，則收受副本之有關機關，卽可了解正本之全部內容，從而加強機關間彼此之聯繫。

二、**增進行政效率**　副本之內容既與正本完全相同，則行文時以副本分送其他有關機關，如此不但發文者可簡化手續以節省人力與時間，而收受副本者亦可明瞭正本之內容而作適當之處理。

公文以副本分送有關機關或人民，既是現代行政技術上進步之表現，因此在使用副本時卽應注意下列五點，方能運用得當，而增加行文之效果。

一、副本既係對正本而言，自然無正本卽無副本，至有正本是否有副本，則視正本之內容性質有無抄送其他有關機關或人民之必要而定。

二、副本之效力雖不及正本，但公文程式條例既有『收受副本者，應視副本之內容爲適當之處理』之規定，則收受副本者應視其內容本於職權爲適當之處理。

三、公文程式條例規定，副本之行使係以『除應分行者外……』爲範圍，則『公文應分行者』，仍應以『正本』行文，不能草率抄送副本，致誤公務。

四、副本既屬公文，自應具備公文之格式，亦須蓋用印信及條戳或職銜章與註明日期、編字號等，與正本之格式、內容完全相同，僅在其右上角標明『副本』字樣，以示與『正本』有別。

五、公文有副本時，應在『副本收受者』欄內註明分送單位之名稱，以免重複轉送。

六、對上級機關爲示尊重，以不行使副本爲宜。

要之，在行政技術上，苟能明瞭副本之性質，善爲使用，則在行政上所收之效果，自必甚鉅，此亦現行公文制度進步之一端也。

第七節　公文之用語

公文有其獨特之功能，亦有其獨具之體裁與格式，而行文系統又有上行、平行、下行之別，故有一套專門術語，在行文上頗稱便利。惟此類術語，因沿用已久，多成爛調，或官腔十足，或模稜兩可，或推卸責任，既不符民主之精神，尤有悖政治革新之需要。行政院因於民國六十二年六月二十二日令頒行政機關公文處理手册，將不合時代精神之公文用語概予刪削，以期簡明確切，提高行政效率。

茲將現行公文用語表列如左，並以行政院所頒布之法律統一用字表，法律統一用語表附焉。

㈣公文用語表

類別	用語	適用範圍	備考
起首語	查・關於・謹查	通用。	儘量少用。
	制(訂)定・修正・廢止	公布法令用。	
	特任・特派・任命・派・茲派・茲聘・僱	任用人員用。	
	鈞	有隸屬關係之下級機關對上級機關用，如『鈞部』、『鈞府』。	㈠直接稱謂時用之。 ㈡書寫『鈞』、『大』、

稱謂語		
大	無隸屬關係之較低級機關對較高級機關用，如『大部』、『大院』。	『貴』、『鈞長』、『鈞座』時，均應空一格示敬。
貴	有隸屬關係及無隸屬關係之上級機關對下級機關、或無隸屬關係之平行機關、或上級機關首長對下級機關首長、或機關與社團間用之，如『貴會』、『貴社』。	
鈞長・鈞座	屬員對長官、或有隸屬關係之下級機關首長對上級機關首長用。	
台端	機關或首長對屬員、或機關對人民用。	
先生・君・女士	機關對人民用。	
本	機關學校社團或首長自稱，如『本縣』、『本校』、『本廳長』。	
職	屬員對長官、或下級機關首長對上級機關首長自稱時用之。	
本人・名字	人民對機關自稱時用。	
該・職稱	機關全銜如一再提及可稱『該』，對職員則稱『該』或『職稱』。	間接稱謂時用之。

奉	接獲上級機關或首長公文，於引敍時用。
准	接獲平行機關或首長公文，於引敍時用。
據	接獲下級機關或首長或屬員或人民公文，於引敍時用。
奉悉	接獲上級機關或首長公文，於開始引敍完畢時用。
敬悉	接獲平行機關或首長公文，於開始引敍完畢時用。
已悉	接獲下級機關或首長公文，於開始引敍完畢時用。

『奉』、『准』、『據』等字儘量少用。

引述語

復……………函 （來文年月日字號）	於復文時用。
依照、根據……………辦理 （來文機關發文年月日字號及文別）	於告知辦理之依據時用。
…………… （發文年月日字號及文別）	對上級機關發文後續函時用。

類別	用語	適用範圍	備註
	諒蒙 鈞察（發文年月日字號及文別）……………………諒達・計達	對平行或下級機關發文後續函時用	
經辦語	遵經・遵卽	對上級機關或首長用。	
	業經・經已・均經・迭經・旋經	通用。	
准駁語	應予照准・准予照辦・准予備查	上級機關對下級機關或首長用。	
	未便照准・礙難照准・應毋庸議・應從緩議・應予不准・應予駁回	同右。	
	如擬・可・照准・准如所請・如擬辦理	機關首長對屬員或其所屬機關首長用。	
	敬表同意・同意照辦	對平行機關表示同意時用。	
	不能同意辦理・歉難同意・無法照辦・礙難同意	對平行機關表示不同意時用。	
除外語	除……外・除……暨……外	通用。	如有副本，可儘量少用。
請示語	是否可行・是否有當・可否之處	通用。	
	請 鑒核・請 核示・請 鑒察・	對上級機關或首長用。	

類別	用語	適用範圍	備註
期望及目的語	請　鑒核備查・請　核備		
	請　查照・請　察照・請　查照辦理・請　查核辦理・請　查照見復・請　查照辦理見復・請　查照轉告・請查照備案・請　查明見復	對平行機關用。	
	希　查照・希　查照轉告・希照辦・希辦理見復・希轉行照辦・希切實辦理	對下級機關用。	
抄送語	抄陳	對上級機關或首長用。	有副本或抄件時用之。
	抄送	對平行機關、單位或人員用。	
	抄發	對下級機關或人員用。	
附送語	附・附送・檢附・檢送	對平行及下級機關用。	
	附陳・檢陳	對上級機關用。	
結束語	謹呈	對總統簽用。	
	謹陳・敬陳・右陳	於簽末用。	
	此致・此上	於便箋用。	

第八節　撰擬公文之基本認識

關於公文之撰擬，在外表上須具備法定之程式，在內容上尤須有具體之意見，故撰擬公文時，應對下列基本事項有明徹之認識，然後可免撰稿時茫無頭緒，無從下筆之感。茲分述如次：

一、**行文之原因**　撰擬公文，卽所以處理公務，故必洞悉案情，徹底了解公務之眞相，然後下筆撰文，始可言之有物，解決問題，始可動合機宜。故行文原因，實爲撰擬公文時首應注意之事項。

二、**行文之依據**　行文之原因既已明瞭，案情既已洞悉，惟處理辦法，必須視國家政策、法律規定、命令指示而定。故必須了解法令與處理事件之關係，乃能援引法令，爲行文之依據，以加強公文之效力。否則，雖明瞭案情，而違反法令，或與法令規定不符，則行文失所依據，且不免構成違法失職之行爲矣。

三、**行文之目的**　此爲行文主旨所在。蓋撰擬公文時，既已洞悉案情，明瞭行文之原因，又已了解法令，得行文之依據。則行文之目的究何所在，必須在公文中爲明確之意思表示，使受文者能有明確之認識，如此始能使公文發生效力。否則，受文者無法了解被要求之事項，自不能作適當之處理。

四、**行文之立場**　公文無論爲上行、平行或下行，在撰擬時，必須斟酌本機關或本身所處之地位及所有之職權，就事言事，據理說理，不驕不諂，不亢不卑，不越權代庖，亦不推諉卸責，處處不失自己立場，使公文發出後，對上能獲信任採納，對下能收預期效果，此在撰擬公文時首當認淸之處。

第九節　公文之作法

公文爲辦理公務之文書，必須講求行文發生之效力，故寫作公文，在態度及文字方面，皆有講求之必要，茲分別說明如後：

一、**文字應簡淺明確**　公文爲辦理公共事務之工具，名爲辦文，實爲辦事，故文字應簡淺明確，以達意爲宗。簡者，文句少而意義足，使撰擬、寫印、閱讀均可收省時間、節精力之效。淺者，不用奇字、奧義、僻典。明者，不爲隱語、誇張、諷刺。皆使受文者易讀易解。確者，斷制謹嚴，義旨堅定，所述時間、空間、數字，皆精確眞實，所用詞句皆含義明晰，不涉含糊。公文能做到『簡淺明確』地步，已臻公文至高之境，已收公文至大之效。蓋非老於文案而具眞知灼見者不能，所謂易曉而難爲，斯爲貴耳。

二、**態度宜嚴正和平**　寫作公文，旨在辦事，故不可苟且敷衍，亦不可意氣用事。不苟且敷衍，斯嚴正矣，不意氣用事，斯和平矣。過去書吏官僚惡習，撰擬公文，以模稜兩可、敷衍塞責爲祕訣，遇有爭執，以頂撞劫持、節外生枝爲能事。文移往復，積案如山，辦文愈多，辦事愈少，是非愈爭而愈昧，本題愈辯而愈遠，是爲文士之惡習，亦公文之大忌，非徹底革除不可。故寫作公文，必一本嚴正之態度，和平之心氣，然後可綜覈名實，得合理合法之解決。縱有爭執，亦當對事而不對人，常須設身處地。考慮對方觀點，以免淪於偏見武斷。舉凡輕薄詼諧之口吻，侮辱漫罵之詞句，皆宜絕對避免。

三、語氣宜不失身分立場　凡寫作公文，正如寫作書信，必須認清彼此關係，然後語氣乃不致發生錯誤。公務機關有法定之系統，上行、平行、下行各自有適當之語氣，過於倨傲，或偏於卑屈，均非所宜。大體言之，確守法令立場，就事論事，是爲基本原則。上行之文，語氣宜謙遜恭謹，報告應眞實可信，建議應具體能行，有所請示，應將可供判斷之資料，乃至可供采擇之辦法，儘量提出，不可毫不負責，一任上級憑空裁決，以爲將來委卸責任之張本。平行之文，語氣宜不亢不卑，時時顧及對方之環境立場。下行之文，以長官之身分，有所指示命令，當然應有果斷之決定，但文字上絕不可流露驕傲之語氣，縱或下級辦理事務有失當之處，亦當平心靜氣，予以指正，不可濫用侮辱漫罵之辭語，致失雙方之身分。現行公文程式規定機關對人民公文用『函』，惟辦稿人員，間有沿襲過去批示用語慣例，失於倨傲，尤不合爲人民服務之精神。同時，人民對於機關有所陳請，規定用『申請函』，亦有人誤解『官吏爲人民公僕』之意，用語誕慢不經，亦屬極大錯誤。總之，官府人民皆當互相尊重，使公文書中充滿愉快合作之氣氛，斯爲良好公文之表現，亦即良好政治之象徵。

以上數點，皆爲寫作公文之重要方法。至於熟諳法令，遵照程式，皆爲寫作公文之要件，自無待言。學者能細加體會，多求經驗，其於公文之寫作，自無扞格不通之患矣。

一、令

（一）公布法律

總統　令

發文日期：中華民國 89 年 2 月 3 日
發文字號：華總一字第 8900029730 號

制定九二一震災重建暫行條例

總　　統　李登輝
行政院院長　蕭萬長

九二一震災重建暫行條例

總統　令

發文日期：中華民國 89 年 11 月 1 日
發文字號：華總一義字第 8900259400 號

茲廢止衛戍條例，公布之。

總　　統　陳水扁
行政院院長　張俊雄
國防部部長　伍世文

（二）緊急令

總統　令

發文日期：中華民國88年9月25日
發文字號：華總一義字第8800228440號

查臺灣地區於民國八十八年九月二十一日遭遇前所未有強烈地震，其中臺中縣、南投縣全縣受創甚深，臺北市、臺北縣、苗栗縣、臺中市、彰化縣、雲林縣及其他縣市亦有重大之災區及災戶，民眾生命、身體及財產蒙受重大損失，影響民生至鉅，災害救助、災民安置及災後重建，刻不容緩。爰行政院會議之決議，依中華民國憲法增修條文第二條第三項規定，發布緊急命令如下：

一、中央政府為籌措災區重建之財源，應縮減暫可緩支之經費，對各級政府預算得為必要之變更，調節收支移緩救急，並在新臺幣八百億元限額內發行公債或借款，由行政院依救災、重建計畫統籌支用，並得由中央各機關逕行執行，必要時得先行支付其一部分款項。

　　前項措施不受預算法及公共債務法之限制，但仍應於事後補辦預算。

二、中央銀行得提撥專款，供銀行辦理災民重建家園所需長期低利、無息緊急融資，其融資作業由中央銀行予以規定，並管理之。

三、各級政府機關為災後安置需要，得借用公有非公用財產，其借用期間由借用機關與管理機關議定，不受國有財產法第四十條及地方財產管理規則關於借用期間之限制。

　　各級政府機關管理之公有公用財產，適於供災後安置需要者，應即變更為非公用財產，並依前項規定辦理。

四、政府為安置受災戶，興建臨時住宅並進行災區重建，得簡化行政程序，不受都市計畫法、區域計畫法、環境影響評估法、水土保持法、建築法、土地法及國有財產法有關規定之限制。

五、中央政府為執行災區交通及公共工程之搶修及重建工作，凡經過都市計畫區、山坡地、森林、河川及國家公園等範圍，得簡化政政程序，不受各該相關法令及環保法令有關規定之限制。

六、災民因本次災害申請補發證照書件或辦理繼承登記，得免繳納各項規費，並由主管機關簡化作業規定。

七、中央政府為迅速執行救災、安置及重建工作，得徵用水權，並得向民間徵用空地、空室、救災器具及車、船、航空器，不受相關法令之限制。

衛生醫療體系人員為救災所需而進用者，不受公務人員任用法之限制。

八、中央政府為維護災區秩序及迅速辦理救災、安置、重建工作，得調派國軍執行。

九、政府為救災、防疫、安置及重建工作之迅速有效執行，得指定災區之特定區域實施管制，必要時並得強制撤離居民。

十、受災戶之役男，得依規定徵服國民兵役。

十一、因本次災害而有妨害救災、囤積居奇、哄抬物價之行為者，處一年以上七年以下有期徒型，得併科新臺幣五百萬元以下罰金。

以詐欺、侵占、竊盜、恐嚇、搶奪、強盜或其他不正當之方法，取得賑災款項、物品或災民之財物者，按刑法或特別刑法之規定，加重其刑至二分之一。

前二項之未遂犯罰之。

十二、本命令施行期間自發布日起至民國八十九年三月二十四日止。此令。

總　　　統　李登輝
行政院院長　蕭萬長

第二頁　共二頁

(三) 召集令

總統　令

發文日期：中華民國 89 年 4 月 1 日
發文字號：華總一義字第○○○○

茲依據中華民國憲法增修條文第一條之規定，第三屆國民大會第五次會議定於中華民國八十九年四月八日集會。

總　　　統　李登輝
行政院院長　蕭萬長

(四) 人事令

總統　令

發文日期：中華民國 97 年 5 月 20 日

特任劉兆玄為行政院院長。

總　　　統　馬英九

總統　令

發文日期：中華民國 97 年 5 月 20 日

特任詹春柏為總統府秘書長，蘇起為國家安全會議秘書長，葉金川為總統府副秘書長，林滿紅為國史館館長，許惠祐為國家安全局局長。
任命李海東為國家安全會議副秘書長。
此令均自中華民國 97 年 5 月 20 日起生效。
總　　　統　馬英九
行政院院長　劉兆玄

(五) 褒揚令

總統　令

發文日期：中華民國 89 年 10 月 13 日
發文字號：華總二榮字第 8910023000 號

前總統府資政、行政院院長俞國華，性行廉正，才識宏達，早歲卒業清華大學，嗣奉派美英，專研經濟，以期蔚為國用。歷任中央信託局局長、中國銀行董事長、財政部部長、中央銀行總裁、行政院政務委員、行政院經濟建設委員會主任委員等職，開源節流，奠經濟建設之丕基；鼎新革故，成貨幣金融之偉業。懋績孔昭，群倫共仰。嗣出長行政院，綜理百揆，率行中道，政通人和，八紘向化；尤以推行新制營業稅、解除報禁、戒嚴、黨禁，開放外匯管制及赴大陸探親等要政，硬畫藎籌，勳猷丕著；德業並懋，聲望益隆。晚歲膺聘資政，翊贊中樞，老成謀國，獻替良多。茲聞溘逝，震悼殊深，應予明令褒揚，用示政府崇禮耆賢之至意。

總　　　統　陳水扁
行政院院長　張俊雄

總統　令

發文日期：中華民國 93 年 12 月 24 日
發文字號：華總二榮字第 09310052681 號

蔣故總統經國先生夫人方良女士，志節貞固，蕙質婉約。原籍俄羅斯，自幼困學勉行，襟懷開朗，卒業烏拉重機械廠附設工人技術學校。民國二十四年，與留俄之經國先生結縭，執手砥礪，相互扶持。嗣隨夫婿遄返中土，鄉關萬里，入境隨俗；相夫教子，侍奉翁姑，贏得國人「賢良慈孝」讚譽。雖為第一家庭成員，平居操持勤奮，厲行簡約質樸，鋒芒盡藏，弗涉政治；勞謙愷悌，律己達人。曾創辦私立三軍托兒所，積極照護軍眷遺孤，德澤溥乎赤子，仁愛播於宇內。晚歲遭遇人世至痛，迭攖痼疾所苦，堅忍剛毅，橫逆無畏。中華傳統矩範「溫良恭儉讓」，斯人有之。綜其生平，寧靜澹泊，廉潔恪慎，懿德淑世，朝野同欽。遽聞溘逝，殊深軫悼，應予明令褒揚，以示政府崇念馨德之至意。

總　　　統　陳水扁
行政院院長　游錫堃

（六）治喪令

總統　令

發文日期：中華民國〇〇〇年〇月〇〇日
發文字號：〇〇〇〇字第〇〇〇〇〇〇〇號

考試院院長孫科，乃　國父哲嗣，為革命元勛，器量恢宏，才識遠大。力行三民主義，學術造詣淵深，歷膺重寄，忠藎孔昭。曾三任廣州市市長，兩任行政院院長，兩任立法院院長，其間並任國民政府副主席，嘉猷偉績，宏濟艱難，功在國家，聲馳寰宇。比年受任考試院院長，時際中興，人才為本，藉其名德，以重詮衡。方今匡復大計，正賴老成喪迪，遽聞溘逝，震悼殊深。特派嚴家淦、蔣經國、鄭彥棻、倪文亞、張寶樹敬謹治喪，以示優隆，而昭崇報。

總　　　統　〇〇〇
行政院院長　〇〇〇

總統　令

發文日期：中華民國 90 年 4 月 10 日
發文字號：華總一義字第 9010000580 號

謝前副總統東閔先生畢生為國宣勞，功在國家，不幸病逝。茲特派李元簇、連戰、張俊雄、王金平、翁岳生、許水德、錢復、游錫堃、莊銘耀、張博雅、田弘茂、伍世文等大員，敬謹治喪、並由李元簇主持治喪大員會議。

總　　　統　陳水扁
行政院院長　張俊雄

（七）院部令

行政院
考試院 令

發文日期：中華民國89年10月3日
發文字號：臺八裁人政考字第200810號
八九考臺組貳一字第09025號

訂定「公務人員週休二日實施辦法」。
附「公務人員週休二日實施辦法」。

行政院新聞局 令

發文日期：中華民國88年12月31日
發文字號：（八八）怡廣一字第21458號

訂定「無線電視節目審查辦法」。
附「無線電視節目審查辦法」。

局 長 趙 怡

無線電視節目審查辦法

第一條 本辦法依廣播電視法第二十五條規定訂定之。

第二條 經許可進入臺灣原區之大陸地區電視節目，應事先送行政院新聞局（簡稱本局）審查核准，並改用正體字後，始得在臺灣地區無線電視事業經營之電臺播送。

第三條 除新聞外，本局得指定應事先送本局審查核准後，始得播送之電視節目。

第四條 無線電視事業應依電視節目分級處理辦法規定播送電視節目。

第五條 本辦法自發布日施行。

（八）省市令

臺北市政府　令

發文日期：中華民國89年1月26日
發文字號：府法三字第8900165000號

訂定「臺北市私立老人福利機構獎助及獎勵辦法」。
　附「臺北市私立老人福利機構獎助及獎勵辦法」。

市　長　馬英九

高雄市政府　令

發行日期：中華民國90年1月16日
發文字號：高市府勞二字第1627號

修政「高雄市勞工權益基金補助辦法」第五條。
　附「高雄市勞工權益基金補助辦法」第五條。

高雄市勞工權益基金補助辦法第五條條文
第五條　本基金補助標準如下：
一、律師費：每一審級（同一事由）以委任律師一人為限，律師費不得超過高雄律師公會章程所訂之標準。
　一工會幹部：補助律師費總金額以新台幣十二萬元為上限。
　二個案勞工：補助律師費總金額以新台幣四萬五千元為上限。

（九）縣市令

雲林縣政府令

發文日期：中華民國 89 年 9 月 18 日
發文字號：（八九）府行法第 8910000443 號

修正「雲林縣立高級中學組織規程準則」第十三條條文
　附修正「雲林縣立高級中學組織規程準則」第十三條條文

縣　長　張榮味

雲林縣立高級中學組織規程準則第十條修正條文

第十三條　高級中學設會計室或置會計員；其設會計室者，置會計主任一人，得置組員，佐理員若干人，依法辦理歲計、會計事項並兼辦統計事項。

花蓮縣政府令

發文日期：中華民國 89 年 12 月 30 日
發文字號：（八九）府行法字第 130070 號

修正「花蓮縣政府公報發行辦法」第二條條文。
　附「花蓮縣政府公報發行辦法」第二條條文乙份。

縣　長　王慶豐

修正「花蓮縣政府公報發行辦法」第二條條文。

第二條　本府公報每週發行一期（每星期三發行）。全年分春、夏、秋、冬四季共四卷，如遇國定假日則暫停發行。

二、呈

（一）報告用

行政院　呈

地址：100-58臺北市中正區忠孝東路1段1號
聯絡方式：(承辦人、電話、傳真、e-mail)

受文者：總統

速別：最速件
密等及解密條件：
發文日期：中華民國90年1月30日
發文字號：臺(九十)防字第0000000000號
附　　件：

主旨：呈報「行政院核四電廠停建報告書」乙份，恭請　鑒核。

說明：

一、依89年12月15日，司法院大法官會議第520號釋憲文規定，應向立法院院會，補行報告並備詢程序。

二、本案已函請立法院安排90年1月30日第三屆第五會期臨時會議提出報告及備詢完畢。

三、謹呈「行政院核四電廠停建報告書」乙份，報請　鑒察。

院長　張　俊　雄　職章

(二) 呈請用

行政院　呈

地址：100-58 臺北市中正區忠孝東路 1 段 1 號
聯絡方式：(承辦人、電話、傳真、e-mail)

受文者：總統

發文日期：中華民國 00 年 00 月 00 日
發文字號：台○○教字第 00000000 號
速別：速件
密等及解密條件或保密期限：
附　　件：隨文

主旨：張榮發先生慨捐現款予淡江大學興建船學館、購置教學儀器設備並協助學生實習，擬請賜頒匾額一方，以資褒獎，敬呈　鑒核。

說明：

一、本案係根據內政、教育二部 00 年 0 月 0 日○○臺內民字第 00000 號、台（○○）高字第 00000 號會銜函辦理。

二、張榮發先生於 65 年至 69 年間，先後捐助淡江大學興建五層船學館一棟，購置教學儀器、設備、圖書、實習船及協助學生實習費用等，共計新臺幣玖仟萬元。經內政、教育二部審核合於捐資興學褒獎條例及該條例調整給獎標準之規定，捐資新台幣 1 千萬元以上者給予匾額，以資褒獎。

三、檢呈受獎人履歷表 1 件、捐資興學證件 23 件。

正本：總　統
副本：內政部、教育部、本院第六組

院長　○　○　○　職章

三、咨

(一) 咨請用

立法院　咨

地址：100-51 臺北市中正區中山南路1號
聯絡方式：(承辦人、電話、傳真、e-mail)

受文者：總統

發文日期：中華民國89年10月0日
發文字號：○○○○字第00000號
速別：
密等及解密條件或保密期限：
附　　件：海洋污染防治法乙份

主旨：制定「海洋污染防治法」，咨請公布。

說明：

一、行政院本(89)年0月0日臺(八九)字第字第0000號函請審議。

二、本院89年10月0日第五會期第000次會議審議通過。

三、附「海洋污染防治法」乙份。

正　本：總　統
副　本：行政院

院長　王　金　平　職章

（二）咨復用

監察院　咨

地址：100-51臺北市中正區忠孝東路1段2號
聯絡方式：（承辦人、電話、傳真、e-mail）

受文者　總統

發文日期：中華民國87年11月18日
發文字號：（八七）院臺人字第870112921號
速別：
密等及解密條件或保密期限：
附　　件：如主旨

主旨：檢陳審計部臺灣省臺南縣審計室簡任人員莊榮吉等三人請任名冊、銓敘部審定函影本各一份，咨請　詧照，准予任命。

說明：依據審計部87年11月11日臺審部人字第872053號函辦理。

正本：總　統
副本：本院人事室（含請任名冊一份）

院長　王　作　榮　職章

四、函

（一）上行函

甲、報告用

國防部　函

受文者：行政院

發文日期：中華民國89年3月24日
發文字號：（八九）戌成字第0992號
速別：
密等及解密條件或保密期限：
附件：檢討改進執行情形表乙份

主旨：呈均院轉監察院函示，陸軍一〇二旅上尉連長黃志強燒車自焚，部隊處理涉有違失案，陸軍總部檢討改善執行情形（如附件），請鑒核！

說明：奉鈞院89年1月21日臺（　）防字第0096號函辦理。

部長　唐　飛

國立中央圖書館臺灣分館　函

地址：235-74 臺北縣中和市中安街 85 號
電話（02）2926-6888
聯絡方式：（承辦人、電話、傳真、e-mail）

100-51
臺北市中正區中山南路 1 號

受文者：教育部

發文日期：中華民國 90 年 1 月 12 日
發文字號：（九十）圖總字第 00065 號
速別：
密等及解密條件或保密期限：
附件：

主旨：檢陳本館經管「國有公用財產管理情形檢表」乙份，請　鑒核。

說明：依據　鈞部 89 年12月30日(八九)總一字第 89170803 號函辦理。

正本：教育部
副本：本館會計室、總務組

館長　林　文　睿

乙、請求

國立中興大學　函

地址：402-27 臺中市南區國光路 250 號
聯絡方式：（承辦人、電話、傳真、e-mail）

100-51
臺北市中正區中山南路 1 號

受文者：教育部

發文日期：中華民國 88 年 2 月 2 日
發文字號：（八八）興學程字第 8820300017 號
速別：最速件
密等及解密條件或保密期限：
附件：隨文

主旨：檢陳本校八十七年度參加教育實習教師支領實習津貼印領清冊（第一期支出憑證，總金額新臺幣參佰陸拾萬元整）一份，敬請　鑒核。

說明：遵照　鈞部 88 年1月16 日臺(八八)師三字第 88004824 號函辦理。

正本：教育部
副本：

校長　李　成　章

（二）平行函

甲、洽辦用

行政院　函

地址：100-58 臺北市中正區忠孝東路1段1號
聯絡方式：（承辦人、電話、傳真、e-mail）

100-51
臺北市中正區中山南路1號

受文者：立法院

發文日期：中華民國 90 年 1 月 19 日
發文字號：臺（九十）經字第 00000 號
速別：最速件
密等及解密條件或保密期限：
附件：

主旨：八十九年十月二十七日本院第二七〇六次會議，依據主管機關經濟部建議決議停止興建核四電廠，茲擬依立法院職權行使法第十七條第一項規定，向　貴院院會提出報告，請惠予安排議程。

說明：依 89 年 12 月 15 日，司法院大法官會議第 5 號釋憲文辦理。

院長　張　〇　〇

乙、答覆用

行政院　函

地址：100 臺北市中正區忠孝東路1段1號
聯絡方式：(承辦人、電話、傳真、e-mail)

受文者：監察院
發文日期：中華民國89年4月12日
發文字號：臺(八九)防字第10520號
速別：
密等及解密條件或保密期限：
附件：如說明二

主旨：貴院函，為成功嶺訓練中心一〇二旅上尉連長黃志強，疑因指示部屬郭宏展下士代為接受三千公尺跑步測驗致死，內心自責，於苗栗三義鄉鯉魚潭村燒車自焚案，部隊處理涉有違失。爰依法提案糾正，囑督飭所屬切實檢討改善見復一案。經轉據國防部函報檢討改進執行情形，尚屬實情，復請　查照。

說明：

一、復 貴院89年1月4日(八八)院臺國字第882100451號函。
二、影附國防部檢討改進執行情形一份。

院長　蕭　萬　長

行政院轉監察院對陸軍成功嶺訓練中心一〇二旅上尉連長黃志強燒車自焚，部隊處理涉有違失，依法糾正案，陸軍檢討改進執行情形：

1．為嚴肅本軍訓練紀律，陸軍總部已針對本案肇生原因、缺失檢討及精進作法，於88年11月23日(八八)佑子字第2355號令頒發訓練安全通報第13號，通令全軍視同重要命令，列為幹部教育宣教資料，確實宣教院範；另配合主官「親教親考」教育，加強幹部法治教育，建立正確溝通管道，強化幹部任務管制能力及培養道德勇氣，確使各級幹部養成依法行政，以有效杜絕類案發生。
2．本院各項訓練鑑測均有其一定之標準程序與作法，案內鑑測人員未依標準程序執行，致因人為疏失肇生意外慽事，本軍已按「訓練安全懲處標準」，對違失幹部所應負法定責任，分別核予申誡兩次至大過兩次不等之處分，同時配合安全通報要求各級部隊執行測驗時應逐級詳實查核，嚴禁替代情事，以貫徹本軍忠誠軍風。

（三）下行函

甲、交辦用

行政院　函

地址：100臺北市中正區忠孝東路1段1號
聯絡方式：(承辦人、電話、傳真、e-mail)

110-08
臺北市信義區市府路1號

受文者：臺北市政府

發文日期：中華民國89年6月3日
發文字號：臺（八九）人政考字第010740號
速別：
密等及解密條件或保密期限：
附件：

主旨：「公務人員政風調查考核處理要點」及「行政院所屬軍公教人員涉及賭博財物處分原則」自中華民國八十九年六月三日起停止適用，請　查照轉知。

說明：依據法務部民國89年5月1日法八九政字第009321號函辦理。

院　長　唐　飛請假
副院長　游錫　代行

司法院　函

地址：100臺北市中正區重慶南路1段124號
聯絡方式：（承辦人、電話、傳真、e-mail）

受文者：最高法院、行政法院、公務員懲戒委員會、臺灣高等法院、福建高等法院金門分院、福建金門地方法院

發文日期：中華民國88年12月18日
發文字號：（八八）院臺廳司一字第32382號
速別：
密等及解密條件或保密期限：
附件：

主旨：檢送「法官守則」乙份，請　查照。

說明：「法官守則」業經本院於八十八年十二月十八日修正發布

院長　翁　岳　生

附：修正發布法官守則

中華民國八十四年八月二十二日（八四）院臺廳司一字第一六四〇五號函發布
中華民國八十八年十二月十八日（八八）院臺廳司一字第三二三八二號函修正發布

一、法官應保有高尚品格，謹言慎行、廉潔自持，避免不當或易被認為不當的行為。

二、法官應超然公正，依據憲法及法律，獨立審判，不受及不為任何關說或干涉。

三、法官應避免參加政治活動，並不得從事與法官身分不相容的事務或活動。

四、法官應勤慎篤實地執行職務，尊重人民司法上的權利。

五、法官應隨時汲取新知，掌握時代脈動，精進裁判品質。

為節省篇幅，以下部分受文者之郵地區號及地址從略

乙、通報用

行政院公共工程委員會　函

地址：110-10臺北市信義區松仁路3號9樓
聯絡方式：(承辦人、電話、傳真、e-mail)

發文日期：中華民國88年10月28日
發文字號：(八八)工程企字第8817806號
速別：
密等及解密條件或保密期限：
附件：

主旨：檢送「押標金／保證金連帶保證書」、「預付款還款保證連帶保證書」及「廠商資格履約及賠償連帶保證書」格式八十八年十月二十六日修訂版一份，請參考並轉知所屬(轄)機關。

說明：前揭原格式本會前以88年5月26日　工程企字第8807105號函送請參考在案。

主任委員　蔡　兆　陽

押標金／保證金連帶保證書格式(略)

臺北市政府　函

地址：110-08臺北市信義區市府路1號
聯絡方式：(承辦人、電話、傳真、e-mail)

受文者：本府所屬各機關

發文日期：中華民國89年8月7日
發文字號：府法三字第8906943200號
速別：
密等及解密條件或保密期限：
附件：

主旨：行政院函送「行政院國家搜救指揮中心設置及作業規定」，並自八十九年七月二十四日起生效，如附件，請　查照。

說明：依行政院89年7月29日臺八九內字第22719號函辦理。

市　長　馬　英　九　公假
副市長　歐　晉　德　代行

法規委員會主任委員　陳清秀　決行

丙、核後（示）用

行政院　函

地址：100 臺北市中正區忠孝東路1段1號
聯絡方式：（承辦人、電話、傳真、e-mail）

100-51
臺北市中山南路1號
受文者：教育部

發文日期：中華民國89年5月25日
發文字號：臺（八九）內15103號
速別：最速件
密等及解密條件或保密期限：
附件：

主旨：所報關於私立學校以取得地方政府讓售其所有土地進行籌設，須變更都市計畫時，得否依都市計畫法第二十七條第一項第四款規定，辦理都市計畫個案變更一案，本院七十六年十一月五日臺七六內字第25400號函說明二、1.（1）同意修正為「所有土地均已依法取得所有權或完成合法之買賣契約，或取得經教育部審核通過並依法完成承租公有、公營事業土地或設定地上權之證明文件，或取得公有土地管理機關同意讓售之證明文件。」請查照。

說明：復89年3月22日臺(八九)高三字第89031080號函。

正本：教育部
副本：內政部

院　長　唐　飛　請假
副院長　游錫堃　代行

高雄市政府教育局　函

機關地址：高雄市苓雅區四維3 路2 號4 樓
承辦單位：督學室 聯絡人：康雅玲
聯絡電話：3314834

發文日期：中華民國94 年9 月5 日
發文字號：高市教督字第0940030118 號

主　旨：廢止本局88 年3 月15 日高市教督字第06985 號函訂定之「高雄市政府教育局處理各級學校學生家長申訴案件實施要點」，請 查照。

說　明：有關學生權益之維護及救濟等，業經本局94 年7 月25 日以高市府教一字第0940035133 號令公布「高雄市高級中等以下學校學生申訴事件處理辦法」在案，依據該項辦法第6條第3項略以：「如不服本申訴決定，得於申訴評議決定書送達之次日起30日內，
繕具訴願書經由原處分學校向高雄市政府提起訴願」，爰以本局原訂之「高雄市政府教育局處理各級學校學生家長申訴案件實施要點」應予廢止。

正　本：本市公私立各級學校
副　本：本局各科室、督學室

局　長　鄭　進　丁

(四)申請函

甲、請求用

申請函　中華民國90年3月6日

受文者:臺北市榮民服務處

主旨:請安置榮家就養,以度晚年生活。

說明:

一、本人於民國59年2月1日,奉准退伍自謀生活,迄未輔導就業就養在卷。

二、檢陳退伍令及榮民證(影本),暨戶口謄本各乙份。

申請人:王　成　功　印

性　別:男

年　歲:七十歲

通訊處:臺北市永康街○○巷○○號

乙、建議用

申請函　中華民國94年3月6日

受文者　臺北市政府大安區公所

主旨:請禁用擴大器廣播,以保持社區安寧。

說明:永康公園整建後,經常舉辦各項活動,並使用擴大設備,高分貝廣播,同時造成園區髒亂,嚴重影響四周居民生活安寧與品質。

建議:

一、禁用擴大器廣播,以保社區安寧。

二、借用單位或團體,應維護公園內清潔。

申請人:永康社區發展委員會理事長　○○○

地　址:臺北市永康街31巷○號○樓

五、公告

(一) 刊登報章

財政部臺灣省南區國稅局　公告

發文日期：中華民國 89 年 12 月 22 日
發文字號：南區國稅人字第 89092096 號

主旨：公告換發本局九十年稽查證有關事宜。

依據：各稅捐稽徵機關稽查證發給管理及使用辦法。

公告事項：

一、本局九十年稽查證底色為藍色，外緣及部徽燙金，字體除正面機關全銜及編號為紅色外，餘均為黑色；左下方貼照片並蓋鋼印，書寫持用人職稱、姓名，右方蓋本機關印信，於民國 90 年 1 月 1 日起使用。

二、八十九年舊稽查證同時作廢。

局長　許　虞　哲

中國信託商業銀行　公告

茲將本公司 89 年 12 月份董事，監察人，經理人及百分之十以上大股東持有
股權質權設定公告如下：

股票持有人身份	姓　名	質權設定股數	設定日期	質權人	設定累計股數	備註
董事	顏文隆	500,000	89.12.11	彰化商業銀行民生分行	17,000,000	

自由時報　標購感熱傳真紙　公告

一、品　　名：感熱傳真紙（規格216×100足米，一吋心）。
二、每月用量：每月約1,000卷，須分送臺北、臺中、高雄三地。
三、投標資格：領有政府核發之營利事業登記證、公司執照廠商。
四、投標規定：參加投標廠商應於92年2月26日至3月2日前，將前開證照送本社總務組審查同意後發給相關投標資料。
五、連絡電話：（02）2504-2828轉700、702分機洽詢。

（二）刊登政府公報用：公布事實、各項登記（許可、變更、註銷）

內政部公告

發文日期：中華民國88年12月2日
發文字號：臺（八八）內警字第8870609號

主旨：公告臺灣臺北地方法院新店辦公大樓周邊範圍列入集會、遊行禁制區，自公告日起生效。
依據：集會遊行法第六條。
公告事項：
一、臺灣臺北地方法院新店辦公大樓周邊範圍列入集會、遊行禁制區公告表。
二、臺灣臺北地方法院新店辦公大樓周邊範圍列入集會、遊行禁制區公告圖。（從略）
部長　黃　主　文

經濟部　公告

中華民國94年4月1日

經授水字第09420205870號

主　　旨：公告修正花蓮溪水系B3、B4及B6等三區土石「可採區」，採取期限自公告日（即94年4月1日）起計174日（即至94年9月21日）為止。

依　　據：河川管理辦法第41條。

公告事項：本部92年10月28日經授水字第09220213341號公告之花蓮溪水系土石「可採區」，其中B3、B4及B6等三區採取期限修正至94年9月21日止。

部長　何　美　玥

本案授權水利署決行

財政部　公告

台財關字第09405501080 號

主 旨：公告「海關管理保稅工廠辦法」第22 條修正草案。

依 據：行政程序法第151 條第2 項及第154 條第1 項。

公告事項：

一、修正機關：財政部。

二、修正依據：關稅法第59 條第3 項規定。

三、「海關管理保稅工廠辦法」第22 條修正草案總說明及條文對照表如附件。

四、對公告內容如有意見或建議，請於本公告刊登公報日起10日內陳述意見或洽詢：

(一)承辦單位：財政部關政司。

(二)地址：台北市愛國西路2 號。

(三)電話：(02)23228232。

(四)傳真：(02)23941479。

(五)電子信箱：doca@mail.mof.gov.tw。

部　　長 林　　全 出國
政務次長 李　瑞　倉 代行

海關管理保稅工廠辦法第二十二條修正草案總說明　略

（三）張貼公告欄用

行政院勞工委員會　公告

發文日期：中華民國 89 年 6 月 21 日
發文字號：臺八十九營檢四字第 0025386 號

主旨：茲指定「營造工作場所有因環境、設備、措施等，引致勞工有墜落、感電、崩塌等立即發生危險之虞者」，為勞動檢查法第二十八條之「勞工有立即發生危險之虞」。

依據：「勞動檢查法施行細則」第 32 條第 4 款規定。

正本：本會公告欄
副本：本會勞工檢查處

主任委員　陳　菊

臺北市政府教育局　公示送達

發文日期：中華民國 89 年 6 月 12 日
發文字號：北市教六字第 8923791400 號

應受送達人：財團法人中華演藝之家基金會附設影劇歌唱短期補習班。

主旨：公示送達本局八十九年四月二十一日北市教六字第 8922503800 號函至貴班，請　查照。

說明：

一、貴班未招生逾 3 個月且核准立案班址已停止辦理補習班業務，違反「補習及進修教育法」，前經本局函請於收支後一週內來函說明，否則逕依規定撤銷立案處分。

二、上開函經本局依貴班立案班址（台北市大安區仁愛路 3 段 53 號）郵寄，因遷移新址不明，無法送達。依公文程式條例第 13 條規定準用民事訴訟法第 149 條第三項及第 151 條之規定公示送達。

三、上開函正本存本局第六科，貴班設立人得隨時前往領取。

局長　李　錫　津

(四) 公告（公示）送達用（刊登報章、政府公報、張貼公告欄）

經濟部公告

發文日期：中華民國89年11月7日
發文字號：經（八九）商字第89222997號
附件：

主旨：美商緯經石油資源股份有限公司前經本部八十九年十月二十五日經　商字第89222124號函撤銷該公司認許，惟因無從送達，爰以公告代替送達。

依據：公司法第二十八條之一。

公告事項：本部89年10月25日經（八九）商字第89222124號函。

部長　林　信　義

臺北市政府建設局　公告

發文日期：中華民國89年6月20日
發文字號：北市建一字第89401523號
速別：
密等及解密條件或保密期限：
附件：

主旨：核准債務人立雄彩色印刷股份有限公司、抵押權人臺灣歐力士股份有限公司等共同申請動產擔保交易登記。

依據：動產擔保交易法第8條暨其施行細則第19條、第21條。

公告事項：

一、登記事項：「動產抵押」之登記。
二、擔保債權金額：新臺幣陸佰參拾參萬壹仟伍佰元整。
三、標的物所在地：臺北市通河東街1段167巷29號。
四、登記字號：北市建一動字第3188號。
五、如有錯誤或遺漏時申請登記人應於公告日起30天內申請更正，逾期不受理。

局　　長　黃　榮　峰

本案依分層負責規定授權業務主管決行

行政院環境保護署　公告

發文日期：中華民國 89 年 7 月 7 日
發文字號：（八九）環署廢字第 0037901 號
附件：「廢機動車輛粉碎分類廠申請為資源化工廠之補貼規範

主旨：公告「廢機動車輛粉碎分類廠申請為資源化工廠之補貼規範」（如附件）。

署長　林　俊　義

廢機動車輛粉碎分類廠申請為資源化工廠補貼規範（略）

公　告

本局於 2 月 28 日放假乙天
東門郵局

（五）通　告

通　告

敬啟者，本會於民國 90 年 1 月份起，卡拉歌唱活動，定訂每月（第三星期一）
公休乙天，特此週知

忠義早晨會敬啟

通　報

一、本館八十九年歲末餐會活動事宜
　　時間：民國 90 年 1 月 15 日（週五）中午 12 時
　　地點：本館四樓中正廳
　　活動內容：聚餐、摸彩、卡拉 OK
二、敬請準時參加

人事室啟民國 90 年 1 月 11 日

六、其他公文

(一) 書函(便箋)

行政院勞工委員會　書函

地址:105臺北市民生東路3段132號6樓
聯絡方式:(承辦人、電話、傳真、e-mail)

受文者:臺北市政府

發文日期:中華民國89年6月15日
發文字號:臺八十九勞動二字第0021799號
速別:最速件
密等及解密條件或保密期限:
附件:如說明

主旨:所詢有關公立學校技工、工友因公受傷經依事務管理規則核給公傷假,於適用勞動基準法,屆滿該規則所定之二年期限時仍未痊癒,得否依勞工請假規則第六條規定續給公傷假或應依事務管理規則規定辦理退職一案,復如說明,請查照。

說明:

一、依據行政院人事行政局89年5月29日八十九局企字第011711號書函轉貴府89年5月23日府人三字第8904400000號函辦理。

二、有關公務機構技工、工友等之公傷假期間跨越不同適用法規者,其公傷假期限疑義,前經本會87年8月3日臺八十七勞動二字第032494號函釋在案,仍應依勞工實際需要核給,該公傷假並無期限。

三、又,勞工如確仍於勞動基準法第59條所稱「醫療期間」,依該法第13條規定,雇主除因天災、事變或其他不可抗力致事業不能繼續,經報主管機關核定者外,尚不得片面終止勞動契約。檢附相關法令解釋一則,請參考。

行政院勞工委員會(條戳)

教育部　書函

受文者：本部各單位、部屬機關

發文日期：中華民國 89 年 10 月 18 日
發文字號：臺（八十九）祕一字第 89130449 號
速別：
密等及解密條件或保密期限：
附件：

主旨：檢送修正「行政院所屬各機關申請研考經費補助作業規定」，請　查照。

說明：

一、依據行政院研考會本（89）年 10 月 11 日（八十九）會研字第 19106 號函辦理。

二、各單位申請九十年度研考經費補助案，請於本（89）年 11 月 30 日前，依其作業規定辦理，並送本部祕書室一科彙整。

教　育　部

臺北市廣東同鄉會　箋

地　址：100 臺北市寧波東街 1 段 3 樓
聯絡人：劉慕周
電　話：（02）2321-7541 傳真：（02）2351-3266

受文者：社務委員

發文日期：中華民國 90 年 1 月 30 日
發文字號：（九〇）信祕字第 097 號
速別：
密等及解密條件或保密期限：
附件：

主旨：本會廣東文獻社社務委員會第二次會議意見彙辦表。

說明：

一、本（二）次會議於民國 89 年 12 月 27 日（星期三）上午 10 時，假本會 3 樓會議室召開完畢，諸社務委員建言紀錄在卷。

二、有關建議及處理情形為彙辦表。

正本：本會廣東文獻社社務委員、總編輯鄭弼儀先生。
副本：本會常務理、監事。

臺北市廣東同鄉會（戳）

陳情書

受文者：如行文單位

發文日期：中華民國九十三年十二月四日
發文字號：少字第 93036 號
速別：最速件
密等及解密條件：
附件：

主旨：92 年公務人員特種考試身心障礙人員考試榜示後，行政院人事行政局，考選部無法提供 85(88)年至 90 年間之公務人員特種考試身心障礙人員考試之未錄取考生，總平均 50 分以上未有一科零分之落榜考生名冊，推介各機關參考遴用為聘僱人員，本人現向臺灣省政府主席陳情是否將另案函請行政院人事行政局、考選部，應考人(上開考生)持有考選部核發之成績單又符合上開應考人分數資料，行政院各部署局行處、臺灣省政府、台北市政府、高雄市政府、各縣市政府、是否可將依身心障礙之工友(技工)聘僱人員資格 (如附件)辦理。 請　查照。

說明：

正本：行政院院長電子信箱小組、 行政院各部署局行處、 行政院人事行政局、 考選部、 臺灣省政府 、 台北市政府 、 高雄市政府 、 各縣市政府
副本：行政院院長 、臺灣省政府主席
劉少奇 E-Mail：gogo23001010@yahoo.com.tw

陳情人：劉少奇 E-mail：gogo23001010@yahoo.com.tw

附件　　略

(二)表格化公文

臺北市政府祕書處簡便行文表

受文者	國家圖書館臺北分館	來文日期字號	民國90年1月9日
副本收受者		發文日期字號	民國90年1月11日 北市祕四字第900000號
		附件	如文
主旨	檢送89年度《臺北市政府公報》(索引)合訂本乙冊,請查收。		
說明			
發文單位			臺北市政府祕書處

(三)簽

甲、請　假

簽 於會計室

發文日期:中華民國000年0月0日

主旨:職欲赴高雄省親,因路途遙遠,往返費時,自本(0)月0日起至同月0日止,擬請事假五於請假期間,本人職務已商李中平先生代理,恭請　核示

謹　陳

主　任

局　長

職陳思道(或蓋職章)

乙、請示（1）

簽　於教務處

主旨：本校教師白梅莊製作教具，裨益教學，請予獎勵。

說明：

一、本校教師白梅莊平日教學認真，誨人不倦，近更利用授課餘暇，自製國文科教具，裨益教學至鉅。

二、檢附該教師所製國文科教具三件暨說明書一分。

謹陳

校長

○　○　○　職章（日期及時間）

丙、請　示（2）

簽

發文日期：0年0月0日
於訓導處

主旨：本校學生○○○損毀公物、侮慢師長，擬勒令退學，請　核示。

說明：本校○年級○班學生○○○性行頑劣，昨竟無故毆打同學，經○年○班教師○○○先生見而勸阻，反以惡語相加，恣意頂撞，殊屬非是。

擬辦：擬依本校學則第○條規定，予以勒令退學，以示懲戒。

敬　陳

校　長

○　○　○　職章（日期及時間）

丁、內部作業用

政務首長個別請辭之辭呈格式

簽　於○○○○○（機關名稱）

主旨：玆值行政院總辭改組，爰本共進退之旨，請准辭卸○○○○○（機關名稱）○○○○（職稱）職務，謹請　鑒核。

　謹　陳

院長

○○○（蓋章）　　謹簽　民國94年1月3日

院屬一級機關政務副首長（含北美事務協調委員會特派委員及二級機關政務首長）個別請辭之辭呈格式

簽　於○○○○○（機關名稱）

主旨：玆值行政院總辭改組，爰本共進退之旨，請准辭卸○○○○○（機關名稱）○○○○（職稱）職務，謹請　鑒核。

　謹　陳

（部、會、院、局、署首長）（首長請簽名）

　轉　陳

院長

○○○（蓋章）　　謹簽　民國94年1月3日

簽 於總務組敬會

主旨：本館工友張碧枝於九十年一月十六日起，因屆齡退休，申請　核發福利互助金乙案，請　鑒核。

說明：

一、依「中央公教人員福利辦法」第18條第1項第3條規定，辦理退休福利互助補助，前開退休人員自民國70年7月1日起參加福利互助至今（如附件一，互助卡），應可領20個福利互助俸額。

二、檢陳福利互助人員異動月報表、工友退休申請書影本、福利互助資料卡影本各乙份，送中央公教人員住宅輔建及福利互助委員會辦理。

三、函稿併陳。

擬辦　如奉　核可後，即依相關規定辦理。

(四) 報告（內部作業用）

甲、請公假

報　告 於第三科

主旨：職奉召於六月十一日入營服役，請准公假一個月，並遴員代理職務，俾如期前往報到。

說明：

一、請假日期自6月11日起至7月10日止。

二、檢附召集令複印本1分。

敬　陳

科　長

局　長

江　平　職章（日期及時間）

乙、請事假

報　告 於第一科

主旨：職母病危，連電促歸，請准事假一週，俾返籍省視，職盡人子之責。

說明：

一、請假日期自（0）月0日起至同月0日止。

二、檢附電報一紙。

敬　陳

科　長

處　長

部　長

○　○　○　職章（日期及時間）

丙、請報警

報　告 於總務處

主旨：本校教職員宿舍昨夜失竊，衣物被竊一空，請函○○警察局迅予偵辦。

說明：

一、職昨往高雄探親，今晨返校，始悉被竊。

二、檢附失物詳單1份。

謹　陳

校　長

職　○　○　○　（蓋職章）

丁、請辭職

報　告　於○○○○司
主旨：職考取國立○○大學○○研究所，即須報到入學，敬請　賜准辭職。
說明：
一、職自經高等考試及格，奉分發本部服務以來，瞬逾五載，猥承匡導，幸免隕越。茲以日常處理業務，每感學識淺陋，力不從心，亟思重遙學府，以資進修。
二、檢附○○大學○○研究所錄取通知書一份。
謹　陳
司　長
部　長
○　○　○　（蓋職章）

（說　明）

1.第甲乙丁三例亦可用「簽」。

2.第丙例適用於職員及兼行政職務之教師。

戊、請借支

報　告　於機要科
主旨：舍間不幸昨夜失火，財物被焚殆盡，請准預借薪津六個月，以濟眉急。
說明：舍間昨夜11時慘遭回祿之災，全部財物幾皆付之一炬，所幸家屬均尚平安。職上有年邁尊親，不有黃口稚兒，今驟遭此劇變，亟需經濟支援，以度難關。
敬　陳
科　長
局　長
○　○　○　（蓋職章）

己、請休學

報　告 於舍間

主旨：生患肺疾重病，請准休學一年。

說明：

一、生近日身體發高燒，面現紅暈，體重驟減，不思飲食，夜晚咳嗽不止，難以入眠。經○○市肺病防治院以X光透視，診斷為第二期肺疾，亟須住院長期療養。

二、附○○市肺病防治院診斷書暨生家長函各一紙。

敬　陳

系主任

院　長

教務長

校　長

中二學生 ○○○蓋章敬上

學號○○○○○○

庚、請補假

報　告 於舍間

主旨：生返里省親，為○○阻，致延期返校，請 准補假兩日。

說明：

一、生於本（10）月5日（星期六）返○○縣○○鎮故里省親，詎於翌（六）日遭○○強烈颱風侵襲，河水陡漲，縱貫線交通斷絕，迄8日交通恢復，始克返校。請准七八兩日補假。

二、檢附生家長證明書一紙。

謹　陳

訓導長

法三學生 ○○○蓋章敬上

學號○○○○○○

辛、請發當英文成績單等

報　告　於女生第一宿舍

主旨：敬請抄發生英文在校成證明書，並懇賜予推薦，以資進修，請　鑒核。

說明：

一、生系本（94）學年度應屆畢業生，擬申請美國加州大學獎學金，繼續深造。

二、依該校規定，須繳英文在校成績單一份暨任課教授二人之推薦書。並限本月底以前寄出。

三、生曾於三年級時選修　鈞長所授之西洋哲學史，潛心研習，得益甚大。

謹　陳

教務長

外四學生　〇〇〇蓋章敬上

學號〇〇〇〇〇〇

七、電　文

(一) 電報

臺南縣同鄉會　電　中華民國90年3月25日

連　戰先生勛鑒：

欣聞

鄉長當選中國國民黨（第一屆黨員直選）黨主席，抉擇明智，深慶得人，特電申賀。

臺南縣同鄉會理事長　〇　〇　〇

(二) 代電

行政院代電

地址：100 臺北市忠孝東路 1 段 1 號
傳　　真：(02) 2341-3454

受文者：各縣市政府

發文日期：中華民國 90 年 5 月 1 日
發文字號：臺九○內字第 00000 號

主旨：颱風豪雨季節，希注意防範，以減少損害，特電遵辦，並轉行所屬知照。

說明：

一、臺閩地區於 5 月至 10 月間，為颱風最多季節，希各機關特別注意防範，以減少災害。

二、各縣市成立防颱中心，加強防颱準備。

三、各機關儘速報告災情，暨善後處理。

副　本：行政院中部辦公室，臺灣省政府、福建省政府、臺北市政府、高雄市政府。

院　長　張　○　○

臺北市政府　代電

受文者：國民住宅處

發文日期：中華民國 00 年 0 月 0 日
發文字號：0000 字第 000 號

主旨：關於公務人員兼課之規定，是否適用於約僱人員案，經准行政院人事行政局釋復，以約僱人員係擔任臨時性工作，應不適用公務人員兼課兼職之規定，希查照。

市長　○　○　○

臺北市景美女子高級中學　代電

地址：116 臺北市文山區木新路 3 段 312 號
傳　　真：(02) 2936-8847

受文者：立法院

發文日期：中華民國 87 年 12 月 0 日
發文字號：0000 字第 000000 號

主旨：本校應屆畢業生擬參觀　大院院會議事情形，請　查照惠允見復。

說明：本校應屆畢業生○○○等 76 人，為體驗民主真諦，印證課本理論，擬由教師○○○先生率領參觀　大院本 (0) 月 0 日 0 午 0 時舉行之院會。

校長　○　○　○

附錄：一般公文，錄自文史哲出版社出版之《應用文》